A SOMA DE
TODOS OS AFETOS

FABÍOLA SIMÕES

A SOMA DE TODOS OS AFETOS

Para Bernardo

COPYRIGHT © FARO EDITORIAL, 2021

Todos os direitos reservados.
Nenhuma parte deste livro pode ser reproduzida sob quaisquer meios existentes sem autorização por escrito do editor.

Diretor editorial **PEDRO ALMEIDA**

Coordenação editorial **CARLA SACRATO**

Preparação **FERNANDA BELO**

Revisão **BÁRBARA PARENTE**

Capa e diagramação **OSMANE GARCIA FILHO**

Imagens **HUZA STUDIO | SHUTTERSTOCK**

Dados Internacionais de Catalogação na Publicação (CIP)
Angélica Ilacqua CRB-8/7057

Simões, Fabíola
    A soma de todos os afetos / Fabíola Simões. — São Paulo : Faro Editorial, 2021.
    176 p. : il., color.

    ISBN 978-65-5957-097-3

    1. Crônicas brasileiras I. Título

21-4738   CDD B869.93

Índice para catálogo sistemático:
1. Crônicas brasileiras B869.93

1ª edição brasileira: 2021
Direitos de edição em língua portuguesa, para o Brasil, adquiridos por FARO EDITORIAL

Avenida Andrômeda, 885 — Sala 310
Alphaville — Barueri — SP — Brasil
CEP: 06473-000
www.faroeditorial.com.br

SUMÁRIO

I. SOMOS A SOMA DE NOSSOS AFETOS 13
Quanto mais vivemos, mais eternidades criamos dentro da gente

II. LEITURA DO MUNDO 49
Somos a leitura que fazemos do mundo. E podemos ler delicadezas, miudezas, singelezas ou, ao contrário, aceitar o espetáculo do medo, da falta de esperança, da ausência de fé

III. FUNDO DE GAVETA 93
A vida é prova. E as questões são específicas para seu aprimoramento. Errar faz parte; deixar em branco anula quem você pode vir a ser...

IV. A GENTE TEM QUE CONTINUAR... 141
A existência é constituída de muitas histórias, e finalizar um capítulo não significa dar fim ao que somos

"É que em todo o lado, mesmo no invisível, há uma porta.
Longe ou perto, não somos donos, mas simples convidados.
A vida, por respeito, requer constante licença"

MIA COUTO

CARTA AO LEITOR

Em meados de 2012, minha vida sofreu uma reviravolta e busquei ajuda na terapia. Numa das sessões, fui questionada por minha terapeuta: "O que você mais gosta de fazer?". Naquela época, meu filho tinha 6 anos, e eu respondi: "Cuidar do meu menininho". Ela então me disse: "Isso não serve. Eu quero saber o que você gosta de fazer para *si mesma*, o que te anima, te preenche, te distrai, te alimenta a alma". Fui para casa com essa questão, e então me lembrei de meu antigo hábito — abandonado pela corrida do dia a dia, pela demanda do Centro de Saúde (onde continuo trabalhando como dentista), pelos meus afazeres de mãe, esposa e mulher — escrever era a resposta.

Desde minha alfabetização, a escrita havia me salvado de diversas formas e, naquele momento turbulento que eu estava vivendo, ela seria o pontapé inicial para uma nova carreira que estava prestes a começar, mesmo que eu não soubesse disso naquele momento. Relembrei meus antigos diários (uma coleção que começou aos 12 anos e tenho guardada até hoje), os textos que escrevia para os amigos, os livrinhos de papel sulfite grampeados, os jornaizinhos datilografados da família, as peças de teatro que inventava, os desabafos nos cadernos usados. Então, tomada de súbita coragem, procurei no Google "como começar um blog", e escrevi o primeiro texto.

O livro que você tem em mãos foi o início dessa jornada. As crônicas contidas aqui traduzem pensamentos e sentimentos que eu lapidava nessa fase de amadurecimento, autoconhecimento e busca por um sentido maior da existência. Eu escrevia para mim, mas, ao colocar minhas ideias na internet, percebi que muita gente se identificava com o que eu dizia e sentia.

Como diz a crônica "Amnésia", de vez em quando sentimos que estamos vivendo a vida de outra pessoa, não a nossa. E às vezes precisamos ter o "freio de mão" puxado, ou levar um "presta atenção" da vida para voltarmos a nos reconectar conosco mesmos. E então, nesse caminho de volta, descobrimos que somos a soma de tudo o que amamos, experimentamos, choramos, nos despedimos e reencontramos. Somos os quintais onde brincamos na infância, as fitas cassetes que ouvimos na adolescência, os bilhetinhos que escrevemos na sala de aula, os livros que lemos, os filmes a que assistimos, os vapores da cozinha da avó, os aromas de nossa casa na véspera de Natal, os sabores que marcaram nosso paladar, as dores secretas que não queremos abandonar. Somos, enfim, a soma de nossos afetos.

Assim, desejo que o livro seja como um carretel de linha, que você usa para costurar sua enorme colcha de retalhos. E que, ao observar a colcha pronta, você perceba que tudo faz parte — tanto retalhos intactos e de cores vivas quanto retalhos puídos e de cores desbotadas – e que a diversidade de tons, qualidade do tecido ou desgastes da fazenda foram fundamentais para que o conjunto se tornasse harmônico e possível.

Que a leitura o ajude a fazer as pazes com sua história, com tudo de bom e ruim que te coube até aqui. E que, ao final da jornada, você se encontre — a exemplo de Coraline — mais amadurecido (a) e mais feliz...

Grande beijo, com amor,

FABÍOLA SIMÕES

PARTE I
SOMOS A SOMA DE NOSSOS AFETOS

"O QUE A MEMÓRIA AMA, FICA ETERNO"

Quando eu era pequena, não entendia o choro solto de minha mãe ao assistir a um filme, ouvir uma música ou ler um livro.

O que eu não sabia é que minha mãe não chorava pelas coisas visíveis. Ela chorava pela eternidade que vivia dentro dela e que eu, na minha meninice, era incapaz de compreender.

O tempo passou e hoje me emociono pelas mesmas coisas, tocada por pequenos milagres do cotidiano.

É que a memória é contrária ao tempo. Nós temos pressa, mas é preciso aprender que a memória obedece ao próprio compasso e traz de volta o que realmente importou, eternizando momentos.

Crianças têm o tempo a seu favor e a memória muito curta. Para elas, um filme é só uma animação; uma música, só uma melodia. Ignoram o quanto a infância é impregnada de eternidade.

Diante do tempo envelhecemos, nossos filhos crescem, muita gente se despede. Porém, para a memória ainda somos jovens, atletas, amantes insaciáveis. Nossos filhos são nossas crianças, os amigos estão perto, nossos pais ainda são nossos heróis.

A frase do título é de Adélia Prado: "O que a memória ama, fica eterno". E o que acredito é que quanto mais vivemos, mais eternidades criamos dentro da gente.

Quando nos damos conta, nossos baús secretos (porque a memória é dada a segredos) estão recheados daquilo que amamos, do que deixou saudade, do que doeu além da conta, do que permaneceu além do tempo.

Um dia você liga o rádio do carro e toca uma música qualquer, ninguém percebe, mas aquela música já fez parte de você — foi a trilha sonora de um amor, embalou os sonhos de uma época ou selou uma amizade verdadeira — e, mesmo que os anos tenham se passado, alguma parte sua se perde no tempo e lembra alguém, um momento ou uma história.

Ao reencontrar amigos da juventude nos esquecemos de que somos adultos e voltamos a nos comportar como meninos cheios de inocência, amor e coragem.

Do mesmo modo, perto de nossos pais seremos sempre "as crianças", não importa se já temos trinta, quarenta ou cinquenta anos. Para eles, a lembrança da casa cheia, das brigas entre irmãos, das histórias contadas ao cair da noite... serão sempre recentes, pois têm vocação de eternidade.

Por isso é tão difícil despedir-se de um amor ou alguém especial que por algum motivo deixou de fazer parte de nossa vida.

Dizem que o tempo cura tudo, mas talvez ele só tire a dor do centro das atenções. Ele acalma os sentidos, apara as arestas, coloca um Band-Aid na ferida. Mas o que amamos tem disposição para emergir das profundezas, romper os cadeados e nos assombrar de vez em quando.

Somos a soma de nossos afetos, e aquilo que nos tocou um dia pode ser facilmente reativado por novos gatilhos — uma canção cala nossos sentidos; um cheiro nos paralisa ao lembrar alguém; um sabor nos remete à infância.

Assim também permanecemos memórias vivas na vida de nossos filhos, cônjuges, ex-amores, amigos, irmãos. E mesmo que o tempo nos leve daqui, seremos eternamente lembrados por aqueles que um dia nos amaram...

NOTA: este texto tem sido atribuído erroneamente a Adélia Prado. Viralizou nas redes sociais e no WhatsApp com a autoria errada. Porém, somente a frase que deu origem ao texto é dela. O texto completo é de autoria de Fabíola Simões.

ÁGUA QUE FLUI, ÁGUA QUE CAI

Um dos livros mais delicados e sensíveis que li no último ano foi *O arroz de Palma*, de Francisco Azevedo. O livro me fisgou, e continuo relembrando suas passagens. Como a que conta a mania do menino de colocar a língua no buraquinho deixado pela perda do dente de leite. Já idoso e com muitas outras ausências, ele conta: "Com tanto céu na boca, a ponta da língua só quer ir para o buraco que ficou. [...] A língua sente falta do dente. Sempre acostumada com ele e, de repente, a ausência. Agora entendo a língua. Com tanto céu na vida, só quero ir para o vazio que ficou".

Daí que relembrei histórias antigas, do tempo em que eu e meus irmãos éramos pequenos, e em nossa casa havia um mantra: "Seja tudo pelo amor de Deus..." recitado exaustivamente por mamãe naquelas situações em que a louça espatifava, o leite derramava, ou mesmo quando nossos uniformes limpinhos se enchiam de feijão na hora de ir para a escola. Era tão comum — e frequente — ouvi-la repetindo a frase, que acabou virando substantivo. Meu irmão caçula vira e mexe gritava: "Mamaaaaaãe... Acabou de acontecer um 'Seja tudo pelo amor de Deus...'!" e era um tal de correr com vassouras, panos de prato, roupas limpinhas e dar conta do que sobrou.

Todo mundo sabe que não adianta "chorar o leite derramado"; e que "vão-se os anéis, mas ficam-se os dedos" mesmo assim, contudo, não é simples aceitar que coisas, pessoas, relacionamentos, histórias, lugares, momentos... ou o que quer que seja, se vá. A gente teima em se fixar no que passou, no buraco que ficou, no vazio que deixou, na parte de nós que ainda está naquele lugar que não existe mais. Tanta louça brilhando na cristaleira e só queremos juntar os cacos daquela que espatifou.

A vida é água que flui; pode levar aquilo que amamos e trazer o que não desejamos. Aquilo que permanece nos cabe.

Já virou lugar-comum falar de desapego e aceitação. Mas no fundo é isso que nos ajuda a crescer. Não é ganhando bem, tendo filhos saudáveis, adquirindo bens, viajando o mundo inteiro que evoluímos. Ao contrário, é durante os reveses que nosso espírito se fortalece. É quando aprendemos a viajar com menos bagagem, menos peso que percebemos que nossas dores são consequências de nosso apego, da dificuldade de viver o presente, de arrependimentos, traumas, dívidas.

Vinicius de Moraes poetizava: "Foi então, que da minha infinita tristeza, aconteceu você...". E descobrimos que é assim que o mundo gira, os rios seguem, os ventos levam, as brisas trazem. De vez em quando é difícil dizer "Seja tudo pelo amor de Deus" e seguir em frente com o amor desfeito, a saudade do lar, a tristeza pela perda de alguém, decepções, frustrações, abatimento.

Mas o Universo é sábio, e, como na natureza, vivemos em harmonia com a lei da ação e reação. Há o tempo do plantio, da irrigação, das secas, da fome e da colheita. Os cabelos caem no inverno e ficam abundantes no verão. As folhas caem no outono e florescem na primavera. E, de sua infinita tristeza, podem acontecer recomeços, novas chances...

Pois é na infinita tristeza que aprendemos a reconhecer o amor, a estreitar os laços, a valorizar os momentos, a utilizar os dons e talentos. A entender, enfim, o mantra que diz:

"Água que flui, água que cai. O que deve ficar, fica. O que deve seguir, vai..."

AMNÉSIA

Faço o tipo distraída. Atenta ao todo e desfocada de tudo. Perdida em pensamentos, divagações, viagens interiores. Do tipo que esquece a bolsa quando encontra as chaves. Atrasada, sempre correndo, sempre esquecendo. Distraída do tempo, de rostos e nomes.

Mas nunca tinha ocorrido esquecer-me de mim. Amnésia mesmo. Olhar para o espelho e perguntar quem é aquela que sorri sem jeito e diz "muito prazer". Acordar e não saber que vida é essa, ter a sensação de estar vivendo a vida de outra pessoa, não a minha.

Aconteceu comigo. Parece loucura porque não sofri nenhum acidente, não bati a cabeça nem tive traumatismo craniano. Mas de vez em quando a vida manda um "presta atenção" para a gente. E eu precisei levar duas bofetadas para acordar. Um nocaute para estacionar.

Acordei com amnésia querendo saber como vim parar aqui, que pedaço de mim fez essa viagem e que parte ficou lá atrás, sem coragem de engatar a primeira marcha. Naquele dia acordei com saudade daquela que não fez as malas, da menina que parou no tempo e tinha muitas coisas para me contar, porque eu segui a estrada distraída e ela esteve a me observar, sabia dos meus erros, entendia minhas fraquezas, foi espectadora da minha jornada.

Acordei sem identidade e quis me encontrar com aquela que sempre soube o que queria, com a parte de mim que tinha um olhar mais adocicado perante a vida.

Como no filme *A Dona da História*, em que a Carolina de meia-idade se encontra com a Carolina de dezoito anos e se pergunta como teria sido sua vida se tivesse feito outras escolhas, investiguei meu passado para entender o presente. Revi fotos, reli cartas, mergulhei em diários. Voltei a escrever, reencontrei amigos, assisti a vídeos. Pouco a pouco a memória foi voltando, a comunicação se restabelecendo, o branco dando lugar ao entendimento.

Então, uma noite, recebi uma visitante ilustre. Era a menina dos diários. Passamos a noite revendo as histórias, compreendendo as escolhas, aceitando os caminhos. No fim, ela me encarou com ternura, afirmando que fiz a escolha certa, que estou no lugar que sempre desejei estar, mesmo com os conflitos, as dúvidas e as mágoas.

"Isso faz parte da vida", ela disse. E acrescentou: "Apesar de tudo, essa é a melhor versão da sua história. E pode ser uma bênção se você compreender que não é porque o caminho está difícil que ele está errado...".

No dia seguinte, minha memória voltou e tratei de ser feliz.

A MAMÃE É MEU REMÉDIO

Ontem cheguei em casa e você esperava por mim; a vovó me contou que você disse "A mamãe é meu remédio" e nos abraçamos em silêncio até a febre passar. Por trás de seus olhinhos abatidos senti a sinceridade de suas palavras, e o calor de suas mãos presenteou meu pescoço. Se o céu existe, ele cabia no conforto daquele abraço. Essa sensação dormiu comigo mesmo sendo Dia dos Namorados, e você lutando contra uma virose. Desde que me descobri mãe, todos os papéis ficaram em segundo plano, mas como não me sentir recompensada depois de ouvir uma frase dessas? Sei que vou guardá-la por muito tempo, talvez por toda a vida, e me agarrar à sua poesia quando você crescer e for um homem-feito, cheio de preocupações e responsabilidades.

Porque você ainda é um menino de seis anos e eu ainda posso ser o seu remédio, mas a vida vai lhe mostrar que não sou perfeita, que tenho falhas, desvios e manias, que não possuo varinha de condão nem respostas pra tudo, que a dipirona tem propriedades maiores que minha presença, que não sou digna de ser seu espelho porque meus erros serão fatalmente identificados por você no futuro para que não os repita com seus próprios filhos.

Mas não tem importância, hoje trato de aproveitar cada segundo ao seu lado, gravando na pele a sensação de seu corpo arredondado, sua risada farta e barulhenta, o toque de suas mãozinhas no meu cabelo, seu cheiro — principalmente quando corre e fica com o cabelinho suado —, sua respiração profunda quando adormece. Essas são minhas relíquias, tesouros escondidos numa porção extensa do coração, consolo para os dias ruins e saudades futuras.

Nunca mais fui a mesma depois que te conheci. Antes pulava de paraquedas, hoje deduzo os riscos do carrinho de bate-bate. Tinha as unhas feitas, ultrapassava os carros pela direita e ia ao shopping pensando só em mim. Achava que sabia o que Cazuza cantava nos versos "ser teu pão, ser tua comida, todo amor que houver nessa vida...", mas só depois de amamentá-lo por dez meses pude entender acerca de amor incondicional e saber ser o sustento de alguém.

Ainda que a vida e o amadurecimento nos afastem, ainda que perceba que somos diferentes ou incompatíveis, que diga que exagerei na dose disso ou daquilo, que não precisava ter sido tão severa ou tão melosa, ainda que me acuse por seus traumas, fantasmas e medos, mesmo assim serei grata a Deus pelo meu maior presente, pois você despertou algo em mim que eu desconhecia. Justamente quando achava que tinha controle sobre tudo, você veio para me dizer que não controlo nada. Quando acreditava que já tinha amado demais, você me fez sentir como uma aprendiz em matéria de amor.

Quando minha casa se tornou modelo de perfeição e assepsia, você invadiu mudando tudo de lugar, sujando paredes e estofados com seus dedinhos melados, restos de pipoca e confetes coloridos; agregando aos ambientes cadeirões, cercadinhos, bicicletas e skate. Quando achei que era capaz de racionalizar tudo, você me fez adquirir o sexto sentido, de ser mais intuitiva e capaz de expressões como "coração de mãe sente...".

Não há motivo para me lembrar de birras, refluxo, cólicas, noites em claro, viroses dilacerantes. De todos os trabalhos, você tem sido o melhor "ofício", e pelo qual sou mais bem-remunerada. Não tem preço a alegria estampada nos olhinhos que brilham quando meu carro estaciona na garagem, o abraço forte que por vezes me tira o chão, as perguntas inteligentes e constrangedoras, os comentários engraçados, a forma pausada com que começa a fazer suas primeiras leituras, as festinhas na escola em que seu olhar procura aflitivamente por minha presença e se alivia ao me encontrar. Você trouxe alegria para nossa casa, como você mesmo diz. Alegria no barulho, nos carrinhos espalhados pelo tapete, nos desenhos colados nas paredes e geladeira, nos DVDs perdidos pela estante. Trouxe movimentação, inseguranças, busca por conhecimento; nos fez ler livros especializados — *O que esperar quando você está esperando*, *Nana, nenê*, *Limites sem trauma*, *Quem ama educa* — e mais uma porção de títulos, nos tornando quase especialistas no assunto. Mas, sem cartilha ou manual, descobrimos o ser único que você é, com suas próprias regras e necessidades.

Olhar para você é descobrir que o que é bom para meu ego certamente não é bom pra você. Quantas vezes você me mostrou que não é preciso impressionar ninguém, que sua hora é só sua, que quando você aprende a amarrar os sapatos, andar de bicicleta sem rodinhas ou cantar afinado posso me orgulhar, mas não preciso te exibir para satisfazer minhas necessidades de aprovação e egocentrismo.

    Espero que na jornada da vida você venha beber da fonte onde tudo começou. Que encontre em mim seu vínculo com a infância e tudo o que ela representa; o refúgio onde poderá se mostrar imaturo, brincalhão ou muito resmungão, independentemente da idade que tiver. Acima de tudo, estarei atenta para que jamais perca a ligação com o menino que existia aí dentro. O menino que brincava, corria, colecionava sonhos. O menino que me abraçava e dizia: "A mamãe é meu remédio".

AS MELHORES FOTOS NÃO VÃO PARA O ÁLBUM DE RETRATOS

Outro dia estava na praia com meu menino. Era fim de tarde e fui sem bolsa, toalha, protetor solar ou câmera. Nem celular levei, tamanha a leveza do meu dia.

Sentada na areia, imersa no desprendimento daquela tarde, aproveitava a ocasião enquanto a batidinha de "What Can I Do" do The Corrs tocava, completando a paisagem.

Meu filho corria atrás das pombinhas e de vez em quando arriscava um malabarismo na areia. Habituada ao registro de cada suspiro, lamentei não estar com a câmera em punho para fotografar o momento que se descortinava à minha frente.

Então, num *insight* redentor, aliviei o peso que sentia e me permiti ser parte do enquadramento, sem *zoom* ou ajuste automático, armazenando aquele arquivo somente na memória afetiva.

Não sei vocês, mas de uns tempos para cá, com as facilidades das câmeras digitais, postagens instantâneas nas redes sociais e avanço tecnológico, passei a enxergar os melhores momentos da vida sob a ótica do display LCD, e perco o momento presente no desejo de eternizá-lo enquanto ajusto o foco, a luz, o posicionamento e o sorriso X.

As melhores fotos, porém, não vão para o álbum de retratos...

Como naquela noite em que o primeiro beijo foi roubado dentro do carro... ele jura que foi ela; ela insiste que foi ele. Os olhos fechados, a música rolando no toca-fitas... quantas vezes ele voltou a visualizar aquele instante, aumentando o brilho do interior e desfocando todo o resto?

Na tarde daquela chuva — uma chuva torrencial de verão — ela seguiu despretensiosa, o cabelo molhado, a blusa branca revelando o colo. Nunca esteve tão linda, sexy, natural, simples... sem as poses costumeiras, os sorrisos manipulados e o olhar fatal.

Novembro — você e as crianças montando a árvore de Natal. Um instante mágico, as luzes piscando, os dedinhos ajudantes dando os primeiros nós, a alegria estampada no olhar dos pequenos... E você ousou acreditar que a foto no colo do Papai Noel do shopping carregava eternidade maior?

Sala de parto. A enfermeira registra o nascimento com a câmera. O que ela não capta são seus olhos marejados detrás do tecido verde. As mãos que apertam as suas — geladas, molhadas de suor. Você encara o marido e, pela primeira vez em tantos anos, percebe que ele chora. As fotos do bebê são compartilhadas no Facebook, mas dentro de você a resolução do momento ultrapassa os dezesseis megapixels.

Na despedida, ela chorou enquanto o carro se afastava e ainda teve forças para alcançá-lo, tentando evitar o inevitável. Hoje segue transformando a dor em sépia, aumentando e diminuindo o *zoom*...

Minutos decisivos no banheiro. A alegria latente ao descobrir os dois tracinhos vermelhos na tira de papel — grávida! — e o momento arquivado pela vida inteira.

O casamento. O fotógrafo, especialista em fotos jornalísticas, conseguiu captar beleza, descontração e espontaneidade. Mas aqueles minutos no carro, enquanto o motorista dava voltas no quarteirão e você conversava com seu pai; aquele último momento antes de entrar na igreja é o que será revisitado por tantas noites em claro, de ausências e saudades...

Você está onde sua mente está. Da próxima vez, experimente substituir as lentes por sua presença. Que se divirta feito criança e permita ser levada pela emoção do momento, com a alma nua. Esqueça o protocolo e deixe de lado as regras sobre "como obter boas fotos".

Entenda que o mantra "tudo passará" serve tanto para os maus momentos como os bons, e se você perder o instante perfeito procurando uma estampa para os porta-retratos da sala, ele também passará — tendo você registrado ou não.

QUAL O MEU LUGAR

Ando viciada na música "O que se quer", da Marisa Monte. A melodia é tão contagiante que a letra passa despercebida. Mas, ao se prestar atenção, dá para entender o recado e concordar com a composição musical, que diz mais ou menos o seguinte: "Não tente entender... e o tempo dirá... qual o meu lugar... Eu perco o medo do que a sorte lê...".

Semana passada tive certeza do sentido dessas palavras. Porque a vida nos dá novas chances o tempo todo, e reconhecer nossos presentes é perder o medo do que "a sorte lê".

Pode levar muito tempo para encontrarmos nosso lugar. Conheço gente que tem o dobro da minha idade e ainda está à procura. Outros, tão jovens, já têm a certeza de seu espaço, confiança no seu rumo, fé nas suas escolhas.

Existem momentos em que é difícil reconhecermos nosso lugar. Parece que a vida dá e tira, coloca e pede de volta, estende a mão e puxa o tapete, mas, com paciência, o tempo dirá.

E, então, um dia, por algum motivo pequeno ou grandioso, você percebe que tem um bilhete autenticado em mãos. Um bilhete que te indica exatamente qual a sua poltrona, a sua janela — por onde verá o mundo passar — e sua companhia nessa viagem.

Já me senti sem chão algumas vezes. É difícil e parece que não vai passar. É mais ou menos como estar no trem errado vendo o certo ser conduzido para o lado oposto.

Mas o tempo muda tudo. E se você permitir — e somente se você permitir — dentro do "trem errado" pode começar a ter boas surpresas, grandes presentes. Essa é a oportunidade de virar o jogo.

Talvez seja isso. Talvez a certeza venha quando aprendemos a reconhecer a sorte de estarmos onde estamos. E "sorte" é uma palavra banal demais para designar presentes divinos, dádivas, milagres.

A vida sempre recomeça, o tempo insiste em mandar recados. Mas poucas pessoas percebem. Poucos acreditam no que a sorte lê.

Por isso insistem em almejar aquilo que não lhes pertence; procuram pelo que não pode ser encontrado; se inquietam com faltas que jamais serão preenchidas; tentam definir o que é indefinível...

Nunca chegam a acreditar que já foram presenteados. Não se contentam com aquilo que lhes cabe e justificam suas inquietações como excesso de "vida".

Desejam sempre mais, como se agradecer pelo que possuem fosse comodismo.

Como disse, semana passada fui presenteada. Num jantar na casa dos meus primos, segurando a bebê recém-nascida mais linda desse mundo, recebi um envelope com um tesouro. Um cartão que nomeava meu marido e eu ao posto de dindo e dinda. Não pude conter as lágrimas ao reconhecer qual o meu lugar depois de tantas dúvidas acerca da maternidade e dos sonhos.

Poderia ter sido apenas um gesto de carinho, mas alguma parte de mim reconheceu o bilhete premiado ou aquilo que a vida ainda guardava para mim.

DIAMANTES DE PEDAÇOS DE VIDRO

Segunda-feira é seu aniversário. Alcançou-me nos quarenta, mesmo sendo ainda recente a lembrança dos nossos vinte anos, em Alfenas, ao lado da turma que, naquela época, formava uma grande família.

Vinte anos se passaram e, hoje, conversando pelo WhatsApp, me lembrei da gente sentado no fundão, escrevendo letras da Legião nas abas dos cadernos, trocando mensagens em papeizinhos rasgados, barganhando confidências em baixo tom. Os recursos mudaram, e não há como negar que facilitaram muito a rotina, mas naquele tempo a proximidade levava vantagem, e a gente conhecia o outro só com o olhar.

Assim aprendi a conhecer você. E muito mais que me apresentar ao *Menina com uma flor*, de Vinicius, ou escrever paródias a partir dos textos de Drummond, nos identificamos no olhar perante a vida. Um olhar carregado de significado para as coisas simples; mas no nosso entendimento, muito valiosas.

Nossa amizade, por exemplo. Um dia, sentados embaixo de uma árvore, você, Déia e eu confabulamos um daqueles pactos que só os muito jovens têm a capacidade de conceber. Anos depois, numa estrada rumo a Minas, você o lembrou. A situação era oposta — o que nos unia era uma dor sem nome —, mas éramos novamente os três, amadurecendo e tentando aprender a viver aos quase quarenta.

É isso que eu sei que importa para você. E é isso o que importa para mim também. Por isso hoje, enquanto falávamos por *msgs,* recordei os bilhetes durante as aulas de somatologia ou materiais dentários. Lembrei que as letras de Renato Russo tinham o poder de nos curar, e a trilha de Andrea Doria traduzia muito mais daquilo que vivíamos do que éramos capazes de verbalizar. E, embora você tenha crescido, aquela letra ainda diz algo sobre você, sobre nós e sobre os caminhos que trilhamos para chegar até aqui.

De vez em quando parece que escolhemos a estrada errada, apesar de todos os avisos — placas, como você preferir — bem à nossa frente; mas você sabe, e eu sei que você compreende, que não vai ser sempre assim.

Já vivemos o suficiente para cair, levantar, cair novamente e saber que nada é definitivo, feliz ou infelizmente.

Como naquela tarde em que voltávamos da fazenda da Déia, cada um lidando com a tristeza do jeito que podia, sem imaginar que no ano seguinte brotariam frutos que selariam os fragmentos da árvore partida... Da forma mais linda e surpreendente, aprendemos que tudo pode terminar e recomeçar num piscar de olhos. Que a gente pode, sim, se rearranjar de novo, embora seja sempre do jeito que dá — costurando, arrematando, remendando, apertando e afrouxando.

Então o que eu queria desejar a você é esperança. Se não a mesma esperança que tínhamos lá atrás, quando algo não saía conforme o combinado e nós acreditávamos que "pra tudo dá-se um jeito" ou que faríamos "diamantes de pedaços de vidro"; pelo menos o desejo de que saia ileso da descrença, da desilusão. Que não amargue suas convicções nem subtraia a delicadeza do olhar. Nem tudo caminha conforme o combinado, algumas tristezas e perdas são irremediáveis, mas o saldo é descobrirmos que a existência é cheia de ciclos e recomeços.

O que posso afirmar é que estamos juntos, como sempre estivemos. E que lembro também. Lembro da Copa de 1994, do trio elétrico nas ruas de Alfenas, dos conselhos que me oferecia de graça, do tempo em que me fazia de cupido para fingir que te ajudava também.

Hoje te dou essas lembranças de presente. E aí, quem sabe, perdido nessas divagações, talvez se recorde do olhar que tínhamos sobre você. O olhar que te levava a se enxergar de uma forma mais generosa também, pois refletia algo além das imperfeições cotidianas.

Então, pode ser que assim resgate um pouco da leveza do menino que foi; o menino que imitava o Bono tendo como microfone uma fôrma de misto quente e escrevia nas últimas folhas do meu caderno "Quem inventou o amor? Me explica, por favor?"*.

---

* Verso da música "Quem inventou o amor?", da Legião Urbana.

"GET LUCKY"

Muito do que vi da vida aprendi através dos olhos teus. E reconheço que por diversas vezes duvidei se a irmã mais velha fosse mesmo eu. Porque recebi muito mais do que dei. E tive orgulho, nunca ciúmes, da cumplicidade entre vocês. Cumplicidade de homens, meninos crescidos que dividem gostos, vontades, esperanças.

Partilhei muito também. Mesmo com as diferenças dos primeiros anos — surrar minha boneca preferida continua sendo golpe baixo — nossa cumplicidade cresceu, amparada em alegrias e tristezas. É surpreendente constatar como o amor entre irmãos se fortalece mais nas tribulações que na bonança! Unimo-nos mais por dividirmos decepções e dores semelhantes; e amadurecemos juntos quando qualquer desilusão de um podia ser explicada à luz da adaptação do outro.

De vez em quando ligo o rádio do carro e toca "Get Lucky", do Daft Punk. Então sigo meu caminho sorrindo por lembrar a música eleita da vez, trilha sonora dos últimos encontros e tardes regadas à cerveja. Foram tantas canções ao longo dos anos... Ainda crianças, a voz do nosso caçula anunciava a chegada na casa da vovó entoando Roberto: "Meu querido, meu velho, meu amigo..." o que deixava vovô com os olhos marejados e vovó repetindo exaustivamente: "Meu céu é aqui...". Depois vieram "Losing my Religion" do R.E.M., "Overkill" do Men at Work e "Blue Sky Mine" do Midnight Oil, entre outros (a memória resgata agora os sucessos mais antigos...).

Vez ou outra, revejo o vídeo do meu casamento, e o mais tocante é ver dois homens barbados chorando como meninos desamparados. Volto a cena inúmeras vezes e me emociono junto, assim como toda igreja se emocionou diante de vocês.

Hoje, após turbulências e alegrias, nascimentos dos filhos, festas de família e despedidas importantes, agradeço a Deus pelo presente de ter sido a menina da nossa casa. A menina que dava broncas, brincava de ser mãe, corrigia tarefas e escondia os diários da curiosidade de seus olhos;

mas que, no fundo, sempre gostou dessa bagunça, desse amor disfarçado de anarquia, dessa união camuflada de algazarra.

Algumas coisas são inexplicáveis para quem está de fora. Existem códigos secretos que só pertencem aos que partilharam a mesma mesa, o mesmo quarto, as mesmas brincadeiras, os mesmos pais. Talvez cumplicidade e camaradagem sejam as palavras certas para definir esse tipo de amor, que começa com um "não me entrega que eu também não te entrego", e segue vida afora compreendendo os traumas ocultos, as dores disfarçadas, a raiva acumulada, a alegria infantil, a inércia justificada. Mesmo longe, as mãos se reconhecem e se apoiam. Mesmo sem palavras, o entendimento é real. E, no fim das contas, é aquele olhar cúmplice ("não me dedura, por favor...") que nos levanta e aquece. É aquele olhar que justifica e valida a beleza da vida, do mundo, das pessoas. E, de alguma forma que não sei explicar, traz alívio e paz.

Não posso imaginar que aquilo que dividimos há tanto tempo me apazigue como fazem essas lembranças. Nada de mim está mais ali, apenas a memória de velhos pijamas de dormir e a voz suave de mamãe contando histórias pra explicar a vida e justificar o amor.

Obrigada, meninos, por dividirem tanta vida comigo. Por me permitirem entender que mesmo quando há bronca, há amor. Mesmo quando há intromissão, há cuidado. Mesmo quando há desilusão, sempre haverá alguém cantarolando "Get Lucky".

LAR É ONDE O CORAÇÃO ESTÁ

Duas coisas são essenciais na vida: teto e afeto.

Teto com afeto é lar.

Casa só se torna lar quando comporta marcas na parede registrando o crescimento do menino, xícara com asinha lascada de tanta prosa e chá, panela queimada no clássico de domingo, saudade estampada nos porta-retratos da sala.

Não importa quão longe você queira ir, não importa de quem você deseja fugir, seu lar é onde seu coração está.

Ele segue com você, e não é preciso ser como Carl, personagem do desenho *Up — Altas Aventuras —*, viúvo de setenta e oito anos que, a fim de manter uma promessa feita à falecida esposa, sai voando com a casa amarrada a balões de gás — para entender que nos livramos de telhas e tijolos, mas ficamos atados àquilo que um dia transformou toda essa arquitetura num lar de verdade.

É difícil fechar a porta quando as lembranças criaram raízes e a poeira é relíquia de tempos bons. A gente recomeça e sem querer está repetindo a mesma organização, tentando eternizar aquilo que é familiar.

"Lar" pode ser alguém — e geralmente é.

É pra lá que nosso coração se dirige quando está perdido, exilado, estafado. Não importa a mobília, a decoração, a sofisticação — o coração não tem memória palpável, mas reconhece o que é verdadeiramente humano.

No fundo, queremos apenas nos sentir seguros. Simplesmente em casa...

LAURA

Você chegou de manhã, recebi fotos suas pelo celular — o mundo mudou tão depressa — e logo reconheci o nariz do seu pai, ainda que nessas horas a gente insista em buscar algo familiar, mesmo que não seja óbvio.

Você será comparada muitas vezes ainda, e espero que tolere com bom humor, faz parte do pacote essa necessidade que a gente tem de lembrar, se sentir perpetuado, ter orgulho da cria... e, nessa euforia, erramos muito também, e eu torço para que você saiba entender esse carinho, nem sempre fácil de aturar.

Este é o primeiro e maior de todos os seus começos. Seus pais estão começando também, e acho que não conseguirei mais esquecer a voz embargada de seu pai na noite do seu primeiro dia. Ele revelava a emoção na fala e dizia que eu tinha razão, a sensação era incomparável. Do meu lado da linha, calei-me por não ter voz para continuar. Aquele homem, do alto de seus trinta e tantos, descobria que a vida recomeçava. De um jeito novo, lindo, poderoso. E me lembrei dos dias difíceis que permearam sua vida adulta, dos outros começos que ele enfrentou que não foram tão bons assim; mas, ainda assim, começos.

Então, Laura, o que eu quero dizer é que a vida não é uma jornada que começa agora e termina lá na frente. Ao contrário, vai começando, finalizando, recomeçando, terminando... inúmeras vezes, mais do que ousamos suportar. Uma hora, porém, você vai descobrir que o que faz cada um ter uma boa vida é saber tirar de letra essas viradas de página que acontecem de forma planejada ou não, na maioria das vezes sem pedir licença, chegando e nos desorientando por algum tempo, mas depois permitindo que a gente descubra que tem recursos que nem sabia que existiam, e que a tribulação foi o gatilho para nos conhecermos melhor.

Tome cuidado para jamais se deixar dominar pelo papel de vítima. Tá certo, de vez em quando é bom um agrado, uma atenção especial, um carinho solidário. Mas não assuma esse personagem, a armadilha é certeira e cruel. Não busque culpados fora de você — para sua dor, sua solidão, sua inadequação. Descubra, sim, recursos que podem te tirar desses lugares que inevitavelmente ocorrerão. Não busque nas pessoas seu consolo, mas investigue o que pode mudar em si mesma.

Se precisar de inspiração, mexa nas tintas de seu pai e aprofunde-se nas cores e nuances que ele cria para extravasar sua poesia, sua sensibilidade perante o mundo, sua esperança diante da vida. Pratique um esporte, experimente fazer alguma travessia a nado como sua mãe — você pode não se lembrar, mas esteve duplamente submersa, dentro do barrigão da sua corajosa e orgulhosa mamãe, que continuou dando braçadas até o nono mês. Lembre-se também de sua avó (e agora me vem à lembrança a letra da música que diz mais ou menos assim: "A arte de sorrir cada vez que o mundo diz não"*). Sua avó recomeçou aos sessenta e poucos, e tem nos ensinado a sorrir, a tolerar um enredo diferente daquele que foi arquitetado, a brincar de viver. E, se nada disso fizer sentido, rabisque suas ideias como essa sua tia que agora te escreve.

É lugar-comum dizer "estamos todos no mesmo barco", mas é assim que é. Por mais que existam histórias bonitas ou tristes, elas ocorrem para cada um, de uma forma ou de outra. É certo que virão alegrias e vitórias, e desejo que saiba brincar com elas, pois são faíscas, e quanto antes você entender isso, mais cedo conseguirá lidar com a aridez que permeia os dias comuns. Viver não é fácil, e rezo para que você saiba resistir. A resistir com serenidade e fé, descobrindo-se além dos próprios limites, reciclando seus pensamentos, duvidando de suas certezas, desconstruindo e reconstruindo a si mesma independentemente da idade que tiver.

Nunca pense que fracassou, não se permita entrar nesse lugar ruim. De vez em quando as coisas não ocorrem como planejamos, e é normal se sentir frustrado. Mas como querer controlar tudo? Uma hora você vai descobrir que certas coisas acontecem sem a nossa permissão, mas, ainda assim, elas nos ajudam a sair de nosso centro e finalmente abrir aquela gavetinha escondida que nunca fomos capazes de escancarar.

E por fim, não se esqueça: é das coisas mais simples que a gente se lembra mais. E um dia, tarde da noite, talvez você se recorde de antigos sons, vozes aquecidas que embalaram sua infância, cheiros conhecidos de tinta escorrida pelo chão da sacada, ou a música que embalou o amor de seus pais. Então, nesse presente que se descortina, absorva esses momentos simples com sabedoria, pois são eles que dão sentido à existência. E, se chorar um pouquinho, não se ressinta dessa emoção, pois é esse sal que tempera a experiência linda e única que começa agora.

Bem-vinda à vida!

* Verso da música "Brincar de viver", de Guilherme Arantes.

SÓ QUEM AMOU ENTENDE DE SAUDADE

Terminando de ler *1933 foi um ano ruim*, de John Fante, um dos escritores que mais admiro, o livro acaba de se tornar um dos meus preferidos. Numa passagem, tão comovente quanto tantas outras, ele diz:

> Fiquei lá deitado na noite branca, observando minha respiração subir em plumas enevoadas. Sonhadores, éramos um bando de sonhadores. Vovó sonhava com sua casa na remota Abruzzi. Meu pai sonhava em estar livre das dívidas e assentar tijolos ao lado do seu filho. Minha mãe sonhava com sua recompensa celestial e um marido cordial que não fugisse. Minha irmã Clara sonhava em tornar-se freira, e meu irmãozinho Frederick mal podia esperar para crescer e se tornar um caubói. Fechando os olhos eu podia ouvir o zumbido dos sonhos pela casa, e então caí no sono.

Assim como retrata o autor, nossas saudades são costuradas em momentos aparentemente pequenos, que ganharão grandes contornos lá na frente. Toda saudade é feita de pequenos instantes que se transformarão em grandes momentos.

O olhar infantil, a voz não amadurecida, as mãos arredondadas, a recusa em obedecer, a risada barulhenta. Meu menino cresce depressa enquanto tento sugar algum tempo de infância. Virá a puberdade, o crescimento repentino, os braços compridos ao lado dos quadris. A voz grave, o sorriso sem jeito, a recusa em nos ouvir. Já tenho saudade dos instantes de meninice que hoje fazem parte de nossa rotina. Como filhotinho agitado, corre pela casa e me convida a alcançá-lo. Apesar dos dias que se arrastam cansativos, ainda tenho fôlego para corridas em volta da mesa de centro, pois a saudade se costura nessas fagulhas de tempo.

Saudade não é apenas lembrar; é carregar despedidas também. Despedida da vida que se desenrola no presente ou que insiste em se demorar dentro da gente. Saudade da vida que não se concretizou, mas permanece criando raízes na mente. Despedida da infância dos filhos; da saúde dos pais; do cabelo volumoso e do colágeno volátil; do frio na barriga, coração acelerado e surpresa das mãos dadas; do namoro que deu certo, da paixão que deu errado. Do amor que pediu casa, do afeto que criou asas. Saudade do que ocorreu, do que deixou de existir, do que a gente quis e o tempo não consentiu. Saudade de perceber que tudo se transforma num piscar de olhos; e por isso querer agarrar os instantes com precisão, desejando que os vapores do tempo não arrastem para longe aquilo que não nasceu para ser *só* saudade.

Por meio dos sonhos localizamos nossas saudades. Os que deram certo e os que não se concretizaram. Os que imaginamos como verdade ou grandes demais para caberem em nossa simplicidade. Sonhos de ir, sonhos de ficar. Saudade dos planos que imaginamos como certos, da vida boa que existia bem de perto.

Temos saudade do que a mente sonhou e a vida deixou partir. Do que é lembrado com ternura, e permanece existindo como um refúgio invisível dentro de nós. Do que não resistiu como memória palpável, mas jamais deixará de fazer falta. Do que fomos, do que queríamos ter sido, da parte de nós que teve que ser deixada para trás.

A gente vive e não sabe do que vai ter saudade. Porque saudade não avisa que o presente vai virar lembrança, e poucas vezes distingue o estável do passageiro. Algumas coisas o tempo leva sem piedade, e a gente antecipa a saudade do que não permanecerá. Talvez seja isso que vem dar sabor — a noção de que passará — como a própria vida que vem e que, a gente sabe, findará.

O livro *1933 foi um ano ruim* é baseado em fatos autobiográficos. E, assim como *Espere a primavera, Bandini*, do mesmo autor, comove por nos confrontar com as impossibilidades da vida humana.

As impossibilidades que todos nós enfrentamos diariamente, em batalhas internas ou externas. A saudade é só uma delas. Porém, mesmo que denuncie a falta, mesmo que doa, ainda tem um quê de poesia e beleza.

A beleza que se revela no simples fato de que só quem amou entende de saudade...

RELICÁRIO

De férias, o roteiro começou por Minas, visitando minha terra natal. Ficamos hospedados na casa de um tio querido, na vizinhança da residência de meus pais — há um ano alugada.

Ao chegar, fui surpreendida com "nossa" casa — ex-residência — aberta à visitação pública, com decoração e venda de artigos natalinos feitos à mão. A senhora na porta convidava a todos que passavam para subirem as escadas e conhecerem a casa centenária, tombada pelo patrimônio histórico — a casa em que morei.

Aceitamos o convite e entramos, meu filho e eu, enquanto o marido descarregava as malas. Éramos visitantes comuns, mas dentro de mim um filme se desenrolava.

Seria possível locais guardarem memórias? Em cada parede, um pedaço de história? Haveria alma na casa? Seria ela um relicário de lembranças?

Não sei; só sei que através de panos de prato bordados à mão e Papais Noéis artesanais, voltei ao passado — meu passado que se tornava presente naqueles breves instantes de visitação.

De repente, como num filme antigo, vi minha mãe na cozinha preparando o almoço enquanto me pedia para ajudar com os pratos. Vi meu filho correndo com meu sobrinho pela ampla sala e descendo para andar de velotrol no quintal; visualizei meus irmãos sentados à mesa em longas discussões sobre o passado, e meu pai descansando na rede da varanda.

Não era assim tão perfeito ou bonito, mas é assim que gosto de lembrar...

E então havia senhoras bordando, pessoas apresentando a casa, outras conhecendo cada cantinho. Olhavam com admiração, enquanto eu olhava com saudade.

Saudade de um pedaço de mim chamado "filha".

Incógnita, passei despercebida e fui só mais uma na multidão, mas sei que aquelas paredes de alguma forma me reconheceram, e saí de lá com o peito apertado e os olhos marejados.

Não por não fazer mais parte, mas pela noção avassaladora de que a vida se renova, dentro e fora de nós. Irreversivelmente.

A DISPONIBILIDADE DO AMOR

Talvez o amor o encontre imaturo, lutando por um lugar no mundo, buscando seus projetos profissionais, seu reconhecimento como homem, seu crescimento financeiro. Diante do mundo que começa a florescer, como dar conta da vida que irrompe, invadindo a madrugada e os dias, com suas cólicas, necessidades de amparo, afeto e proteção?

O amor de um pai pode não estar disponível, permanecendo anos e vidas em modo de espera, aguardando a diminuição do compasso para, enfim, florescer de verdade. Mas filhos não são presentes à espera da noite de Natal. Filhos crescem independentemente da disposição para o amor. E enquanto a vida se desenrola, um hiato de incertezas se consolida.

Pode ser que o amor se torne disponível tarde da noite, quando as festas de aniversário e as comemorações da escola não passem de fotos amareladas nos porta-retratos da sala. E você perceba que esteve distraído enquanto conduzia o carro a caminho do *ballet*; desatento quando seu pequeno o desenhava maior que o mundo e pouco a pouco descobria que você já não era tão grande assim; estressado com tempo e dinheiro enquanto a bola rolava sozinha no quintal.

Crianças não esperam disponibilidade e disposição para o amor.

Adultos podem encontrar disponível aquele amor que tanto careciam; e, com sorte, nunca será tarde demais para recomeçar — ainda que de trás pra frente...

REENCONTRAR AMIGOS SIGNIFICA ENCONTRAR A NÓS MESMOS

Há alguns dias, minha saudosa turma de faculdade se reuniu. Muita gente, como é de praxe, não foi. Mas a maioria de *nós* estava lá, revendo os grandes parceiros da juventude, apresentando as famílias, relembrando histórias e diluindo as saudades.

Saudade dos amigos, de tudo o que vivemos, mas principalmente de quem fomos. De nossa versão mais simples, ingênua e até *démodé*. Saudade mesmo do que nem lembrávamos mais — pequenos incidentes que viraram anedotas —, mas que os amigos lembram por nós. Do que realizávamos, dos papéis que interpretávamos, dos apelidos e manias tão singulares.

Revimos álbuns, contamos casos, relembramos festas memoráveis. Testemunhamos a passagem do tempo no rosto e no relato de experiências de cada um. Por algumas horas, esquecemos nossos dramas, a vida lá fora, as dificuldades cotidianas. A vida trouxe cicatrizes — visíveis ou invisíveis —, mas, ali, tivemos a sensação de que o tempo não tinha passado. De que naquele hiato de quase vinte anos permanecemos os mesmos, independentemente de rumos e feições adquiridos.

Naqueles dois dias, ficou remoto o tempo presente e voltamos a ser os jovens sonhadores, corajosos e justiceiros que éramos, ainda que tudo acabasse em samba e cerveja. Naquela época éramos pretensiosos, debochados e unidos, e é claro que tudo funcionava perfeitamente, pelo menos é assim que me lembro.

Alguns dirão: "Ah, isso é nostalgia sua...". Pode ser. Mas o fato é que estar ali de alguma forma me conectou à menina que fui, numa época de incertezas e indefinições em relação ao futuro — ao hoje. E ver todos nós, vencedores, aos quase quarenta, me encheu de alegria.

Mesmo que não tenha sido unânime a disposição para o encontro, cabe entender que para um encontro de turma funcionar de verdade é necessário deixar a razão de lado, ignorar os custos, as distâncias, o cansaço. Não contabilizar afinidades, tempo transcorrido ou divergência de mundos. Não pesar opções mais confortáveis e menos onerosas. Tudo isso só faria sentido se não existissem memórias. Mas hoje percebo que o tempo pessoal — medido em relação à memória — deveria ser o verdadeiro tempo.

Reencontrar amigos significa localizar a nós mesmos, é estar alinhado com uma porção nossa que existiu e se diluiu, mas que necessita ser ativada de tempos em tempos. É reencontrar nosso referencial, o pedaço de nossa história a partir do qual todo o resto virou mera comparação, e entender que, se algum dia fomos tocados, essa relíquia permanece conosco. Requer coragem, pois implica deixar o instinto de autopreservação em casa e se arriscar.

Nós nos reabastecemos. A sensação é quase como voltar à terra natal, rever a casa onde morou na infância, esbarrar no grande amor ou provar uma receita de família.

Existe poesia no reencontro. Um encantamento sentido por aqueles que se deixaram cativar. Como um amigo querido que viajou 1.600 quilômetros só para passar algumas horas conosco. Acredito que, apesar do cansaço, ele voltou leve e certamente pôde agregar partes de si mesmo, sob o olhar generoso e cúmplice de cada um dos presentes.

Pois como dizia o poeta Drummond: "as coisas findas, muito mais que lindas, essas ficarão...".

OITO ANOS

Já passa da meia-noite e, portanto, depois de amanhã é seu aniversário de oito anos. Ainda há pouco você veio ao nosso quarto se queixando da falta de sono; me impacientei porque a noite já ia alta, e agora sou eu que permaneço insone.

Faz oito anos e passou tão depressa... Sábado você se divertiu ao lado de seus amigos na caça ao tesouro. E talvez tenha percebido que a busca é mais prazerosa que o encontro; a maior satisfação acontece durante o trajeto e o reconhecimento das pistas, a expectativa pela surpresa final. Assim será por toda a vida, meu menino. A busca tem a sua parcela de alegria, e quanto mais nos frustramos nessa jornada, mais valorizamos nosso desejo por aquilo que buscamos. Por isso é tão necessário descobrir o que é importante para você.

Uma hora talvez você descubra que os melhores tesouros são os mais difíceis de serem encontrados.

Lembre-se disso quando sentir seu coração bater mais forte por alguém. Preserve-se, não vá com tanta sede ao pote. Caminhe sem pressa e valorize sua essência. Porém, quando chegar a hora, partilhe sua vida e alegre-se por ter chegado ao cume da montanha. Reconhecer suas dádivas é primordial para viver uma vida satisfatória.

Deixe sua imaginação voar, te levar por caminhos desconhecidos, te refugiar nos momentos difíceis. Mas aprenda a reconhecer suas frustrações, para que descubra quais são seus desejos também. Ainda estou engatinhando nesse terreno, mas devagar venço minhas resistências e, quem sabe, me torno uma mãe mais leve para você também...

Um dia você vai descobrir que adultos não têm tantas convicções quanto parece. Ao contrário, se desejamos evoluir, muitas vezes patinamos nas incertezas de nossos conceitos e verdades, que nunca foram absolutos. Aprendo muito com você, principalmente quando insiste, coisa que nunca fui capaz de fazer. No fundo, achava que lidava bem com minhas frustrações, mas era só um jeito diferente de as negar. Sim, meu menino, sou como essas crianças que não podem ter a mochila da moda e, em vez de se entristecerem com a impossibilidade, optam por agir com desdém. Mas leva tempo pra descobrirmos os próprios mecanismos, e estou percebendo isso agora, junto com os primeiros cabelos brancos e as rugas de expressão.

Você não vai esperar tanto. Pois sabe o que deseja, e luta — nossa, como luta! — para conseguir. Mas certamente virão outros mecanismos, de defesa ou proteção, que lhe farão seguir por caminhos igualmente difíceis, para só depois, lá na frente, perceber que poderiam ter sido tomados por uma estrada mais simples. Mas não liga, não, é isso que nos faz crescer.

Faltou tempo para estrearmos o skate, a vida anda tão corrida e as lições da escola triplicaram de um ano para o outro. Assim você irá perceber o tempo. Ele nos engole sem pedir licença, e estabelecer nossas prioridades se torna fundamental para aquilo que hoje chamamos de "Qualidade de Vida". Esforce-se para dividir bem suas horas, e, acredite em mim, priorize suas relações. É isso o que permanece — o som das vozes quando as luzes se apagam, o cheiro do perfume conhecido, as mãos que nos cobrem delicadamente ao cair da noite, as viagens onde o sol é mais dourado, a chuva mais divertida, o frio mais acolhedor, a disposição para andar na ponta dos pés enquanto os adultos dormem e a casa é só nossa, as noites do pijama acampando no chão do quarto com os primos, as histórias de terror inventadas por esses mesmos primos na hora de dormir; a simplicidade de nossas rotinas — essas que um dia serão apenas lembranças de uma casa com desenhos espalhados na porta da geladeira e exibições do Pokémon ao meio-dia.

A gente cresce e vive de saudades também. Mas isso pode ser tão penoso... como se somente o que passou tivesse vocação de felicidade. Por isso, não viva de buscar tesouros. Preserve o que é seu para não se frustrar em demasia. Desejar é bom, nos mantém alertas e vivos, mas chega uma hora em que é preciso somente agradecer. Mesmo sem saber rezar, não tenha pudores em dobrar os joelhos e dizer "obrigado". Na vida saímos esfolados vezes demais, mas o saldo é sempre positivo. Só tenha paciência de esperar, pois mesmo sendo difícil, há beleza. Mesmo machucando, há prazer. Mesmo frustrando, há satisfação.

Parabéns pelos oito anos. Amo você de um jeito que só as mães conseguem sentir e compreender.

PARA SEMPRE MÃE

Quando eu era pequena, minha mãe tinha o costume de emoldurar meus desenhos e decorar a casa com as peculiares "obras de arte". Os desenhos eram bonitinhos e cheios de detalhes, mas, ainda assim, garranchos de uma garotinha de quatro anos. Depois, passou a comprar telas em que eu adorava inventar grafismos rebuscados, cheios de caracóis, casinhas, árvores e canteiros coloridos. Orgulhosa, mais de uma dezena de vezes me levou à praça da cidade onde acontecia uma feirinha de artistas, para expor meus pretensiosos rascunhos, me levando a acreditar que era artista também. Aquele era um momento só nosso, e me recordo da alegria que eu sentia nessas ilusões disfarçadas de realidade, ou verdades embebidas de fantasia. Algum tempo depois, aos onze anos, participei de um concurso de redações entre escolas públicas do estado de Minas Gerais. Ganhei o prêmio, uma bicicleta, e fui receber em Belo Horizonte. Minha mãe viajou comigo, 450 quilômetros de ônibus, e quando chegamos, entre entidades de terno e jornalistas ansiosos, uma baixinha sorria orgulhosa enquanto fazia gestos exagerados para que eu fosse à frente agradecer em nome de minha cidade. Apesar de tímida, sua emoção me dava combustível. Fui ao microfone, saí na foto do jornal *O Sul de Minas* e até hoje guardo o recorte daquela tarde inesquecível em que ela, mais uma vez, ficou na retaguarda enquanto seus olhos iluminavam meu caminho como um farol.

Sabe, mãe, contei essas duas historinhas para dizer que me lembro. Lembro-me do seu olhar, das suas mãos segurando as minhas no ônibus para BH, das horas (ou minutos) sentada ao meu lado na praça entre os artistas. Me lembro também de esperá-la de banho tomado e cabelo escovado, ansiosa pelo momento em que virava a esquina da nossa rua, voltando de mais um dia de trabalho; da voz forte puxando o coro da catequese (era tão difícil dividi-la com a igreja...); das pastas em que colecionava nossos trabalhos manuais, da noite em que foi me buscar no jazz e, entendendo minha inadequação, permitiu que eu desistisse.

Você foi minha primeira professora. E tendo-a como espelho, durante algum tempo perdi-me de mim. Foi preciso me quebrar para então recolher-me como desejava. Apartar-me como num parto, para habitar minha própria história. Doeu descobrir nossas diferenças. Doeu principalmente perceber que falta em mim aquilo que admiro em você. Somos partes do mesmo novelo, eu sei; e desenrolei-me para costurar novas fazendas — aquelas mais serenas, que me revelam mais —, mas percebo agora que nossos fios se embaralham, se misturam, se confundem, se alinham e se desalinham nas voltas que o carretel dá, e, sem querer, me surpreendo copiando suas falas, embasando suas tradições, fundamentando seus argumentos, encorajando seus modos. Costurei-me em novos tons, mas me pego repetindo os croquis. E desejo crescer tendo-a como referência, pois como disse Fabrício Carpinejar: "Repetir o amor é aperfeiçoá-lo". Não sei se conseguiria aperfeiçoar aquilo que já é perfeito, mas sei onde estiveram seus melhores gestos — os que quero perpetuar. Assim como desejo repetir o jeito que vem desenrolando essa sua nova fase de mudanças, amadurecimento, crescimento, renascimento — como avó, bordadeira, contralto no coral do Círculo Militar, vicentina e cozinheira da sopa dos moradores de rua, sócia-fundadora do grupo das "garotas do chapéu violeta", mãe carinhosa e presente.

O tempo passou tão depressa... E agora me lembro mais uma vez. Naquele dia em que você chegou, fui te buscar na rodoviária com um vaso de flor e vários desejos na alma. Queria te abraçar e dizer que tudo ficaria bem, mas tive medo de perder o equilíbrio e descortinar minha fragilidade — o que aconteceria ao vaso se eu desabasse? Talvez ficasse em cacos como nós duas estávamos; assim percebi que você endurecia também. A vida tinha que seguir.

Não sei o que foi feito daquele vaso, deve ter esgotado seu tempo da mesma forma que fomos recolhendo nossos medos enquanto entendíamos que um novo período começava. Hoje, quando abro o portãozinho do "Rainha Vitória" e atravesso a entrada, olho à direita e enxergo você. Você, que para não murchar, criou um jardim de florezinhas coloridas onde antes só havia vegetação seca pelo sol. Você, que para nos fortalecer, se ofereceu inteira, apesar de fragmentada, como um vitral. Você, que desde que aprendeu a enviar mensagens pelo WhatsApp, não nos deixa um dia sequer sem boas notícias do lado de lá — como uma garantia de que tudo ficará bem, apesar dos riscos de qualquer existência. Você, que para nos lembrar, se faz presente no bolo de fubá com queijo, nas montagens de sucatas com nossas crianças, na fé que ensina e pratica, nos bordados que nos presenteia, nas apresentações do coral que modificam nossas rotinas.

    Queria hoje poder emoldurá-la como fazia com meus desenhos. Ter seu sorriso em meus cômodos e sua disposição na minha cabeceira. Talvez seja isso que me faça cada dia assemelhar-me mais a você. A vontade que não tenha fim. O desejo de que seja para sempre MÃE.

CASA DE VÓ

Domingo visitei minha avó. Fazia tempo que não visitava sua casa, desde a morte do meu avô. Na volta, já no carro, chorei de saudade. Saudade dele, saudade dela, saudade do tempo que eu era pequena e via aquele recanto com olhos de meninice, os mesmos olhos que acompanharam meu filho, o menino que não queria vir embora depois de um dia cheio.

Minha avó sempre foi exímia cozinheira, além de bem-disposta e dedicada a agradar a todos pela boca. Em sua casa nunca faltou o pão de queijo mineiro, a broinha de fubá e o biscoito de polvilho assados na hora, acompanhados do café coado no coador de pano e o chazinho de erva-doce. Além da boa prosa em volta da mesa e do afeto em forma de pudim de leite condensado, minha avó me ensinou muito pelo exemplo.

Ontem, em sua simplicidade carregada de sabedoria, disse que o coração enfraquece com a idade. Enfraquece de tanto sofrer. E arrematou dizendo que, mesmo assim, tinha alegria na vida e nas coisas de tanto amor.

Amor sem preconceito, sem inveja, sem dúvida. Amor sem medo de tocar, de dizer que ama, de abraçar e segurar minhas mãos frias entre suas mãos quentes para me aquecer. Amor alegre, de riso fácil, com cheiro de manteiga e farinha; amor disposto e disponível, no entusiasmo das aulas de tricô, no feitio das bonecas de pano, na hidroginástica às terças e a musculação às quartas. Amor na beleza singela que já foi perfeita, no dom de cuidar e servir.

Casa de vó é um monte de coisas, mas, principalmente, um recanto de saudades; de saber que ali o tempo é escasso e passa depressa, de entender que nesse refúgio os momentos devem ser sugados até a última gota, porque a lembrança do quintal, do alpendre florido de orquídeas e da TV sintonizada nos canais tradicionais é muito passageira, ainda que eterna.

JÚLIA

Há pouco mais de um ano, escrevi um texto dando boas-vindas à Laura, sua prima, que nascia numa manhã ensolarada como essa, trazendo a noção de que a nova geração de mulheres da família será sempre comparada a raios de sol.

Depois do trabalho, com o qual revezo escrevendo este texto, irei conhecê-la e abraçar bem forte seu irmãozinho, que ainda cedo me ligou para contar que você lhe deu três novos Gormitis, monstrinhos de plástico que ele gosta de colecionar. Ele ainda é muito novo para compreender, mas ter irmãos é se sentir abraçado a distância, acarinhado em pensamento, entendido na ausência.

Como você irá perceber, somos uma grande família: irmãos, tios e primos que se querem bem e por vezes se desentendem com ou sem razão, mas, acima de tudo, com um carinho sem fim. Passamos por alegrias, vitórias e alguns reveses, mas aprendemos que quando deixamos as defesas serem rompidas, conseguimos nos ajudar mais.

Por enquanto você se sentirá bem protegida e aninhada nos braços fortes de seu pai e na maciez do colo de sua mãe. Com o tempo, porém, aprenderá a dar os próprios passos, e mesmo com eles na retaguarda, descobrirá que é capaz de cair e se levantar, chorar e sorrir, machucar e se recuperar. Talvez sinta mais os tombos que os recomeços, e eu torço para que não endureça com excesso de zelo ou de preocupações. Nessa vida, nós nos blindamos de diversas maneiras, mas aprender a afrouxar as defesas também nos torna pessoas mais leves e felizes.

Pode ser que nada disso que eu escrevo faça sentido, seu espírito pode ser leve e descontraído como o do seu irmão, o menino que conta piadas ao telefone e sabe de cor o nome das amigas de sua avó. Do alto de seus cinco anos, ele me ensina a não levar a vida tão a "ferro e fogo", diminuindo a rigidez dos ombros e aumentando a curva dos lábios. Ser mãe é uma dádiva, mas ser tia é um privilégio.

Como já disse à Laura, o que faz cada um ter uma boa vida é aprender a resistir com serenidade e fé. Porque, por mais que sejamos fortes, alguns momentos nos desestabilizam por completo. E será nesses momentos que você terá que se empenhar em resistir e suportar, descobrindo que possui dons e talentos que nem sabia que existiam, mas que podem aflorar lindamente nas horas mais difíceis e necessárias. Talvez você goste de culinária, talvez se aperfeiçoe no *ballet*. Quem sabe goste de música ou se arrisque no xadrez. Mas também pode ser que se inspire nos "santos de casa" e pedale como seu pai; vibre com o tênis como sua mãe; cante e ore como vó Clau; corte, pinte e cole como vó Inês; experimente alguns pincéis como tio Léo, comece um diário como tia Fá. Não importam os meios, o importante é que encontre um meio, uma forma de existir que a torne realizada e feliz.

Por fim, não se esqueça: as pessoas que nos querem bem por vezes nos ferem também. Machucam sem querer machucar, arrancam lágrimas sem querer arrancar. E isso muitas vezes está relacionado mais à vida delas do que às nossas. E a gente vai ter que compreender, mesmo preferindo de outro jeito. Isso é amor também, sabe? Saber aceitar a vida do outro, que interfere tanto na vida da gente, mas que, ainda assim, é outra vida. Cada um tem uma história, e ainda que muitos capítulos estejam entrelaçados de forma definitiva, cada pessoa carrega em si não somente aquilo que sai dos olhos ou da boca, mas muitas outras coisas que jamais conseguiremos supor por completo.

Sendo assim, Júlia, se ainda posso lhe dar um conselho que seja: aprenda a perdoar. Não somente aos outros, mas principalmente a si mesma. Não há ganho nenhum em reter arrependimentos ou culpa, mas procurar a reparação é essencial para se viver em paz. Perdoe, aceite, ame. Descubra o presente lindo que é a vida e tente trilhar sua história com coerência e autenticidade. Não perca a fé; ore, agradeça e recorra a Deus quando precisar. Porém, se ainda assim precisar de uma palavra amiga, conte sempre comigo. Tias têm a vantagem de não censurar tanto quanto as mães, e podem ser boas ouvintes e conselheiras de vida e coração.

Porém, lembre-se de que podemos lhe ajudar nessa jornada, mas os pés que irão trilhar o caminho são só seus. Seja feliz! Bem-vinda à vida!

PARTE II
LEITURA DO MUNDO

O LEITE SÓ FERVE QUANDO VOCÊ SAI DE PERTO

Em meados dos anos 1980, lá em Minas, o costume era comprar leite na porta de casa, trazido pela carroça do leiteiro, que vinha gritando: "Ó o leeeeeite!".

Minha mãe corria porta afora e o leite — fresquinho, gorduroso e integral — era despejado na leiteira para nosso consumo. Porém, era um leite impuro, não pasteurizado, e era preciso fervê-lo antes de consumir.

No início, minha mãe tinha um ritual no mínimo interessante para esse evento: colocava o leite na fervura e saía de perto.

Literalmente esquecia.

Simplesmente i.g.n.o.r.a.v.a.

É claro que o leite fervia, subia canecão acima e despencava fogão abaixo. Eu era criança, e quando via a conclusão do projeto, gritava: "Mãe! O leite ferveu! Tá secaaaannndo...", e ela vinha correndo, apavorada, soltando frases do tipo "Seja tudo pelo amor de Deus..." e desandava a limpar o fogão, o canecão, e ver o que sobrou do leite — pra tudo se repetir no dia seguinte, tradicionalmente.

Até hoje não entendo o porquê dessa técnica. Parecia combinado, tamanha precisão com que ocorria.

Mais tarde, ela mudou de estratégia. Eu já era maiorzinha, e podia ficar vigiando a cancca. Assim, ficava ao lado do fogão, de olho no leite que esquentava — para desligar assim que a espuma subisse, impedindo que transbordasse. Foi assim que aprendi uma grande lição:

O leite só ferve quando você sai de perto.

Não adianta ficar sentada ao lado do fogão, fingir que não está ligando; você pode até pegar um livro para se distrair. É batata: ele não ferve. Parece existir um radar sinalizador capaz de dotar o leite de perspicácia e estratégia. Porque não basta também se afastar fingindo que não liga. O leite percebe que é só uma estratégia. E só vai ferver (e transbordar) se você esquecer DE FATO.

51

A vida gosta de surpresas e obedece à "lei do leite que transborda": aquilo que você espera acontecer não vai acontecer enquanto você continuar esperando.

Antigamente, o sofrimento era ficar em casa aguardando o telefone tocar. Não tocava. Então, pra disfarçar, a gente saía, fingia que não estava nem aí (no fundo estava), até deixava alguém de plantão. Também não tocava. Porém, quando a gente realmente se desligava, a coisa fluía, o leite fervia, a vida caminhava.

Hoje, ninguém fica em casa por um telefonema, mas piorou. Existe *direct*, Facebook, WhatsApp e por aí vai. O celular sempre à mão, a neurose andando com você para todo canto. E o leite não ferve...

Acontece também de você se esmerar na aparência com esperança de esbarrar no grande amor, na fulana que te desprezou, no canalha que te quer como amiga. Então arruma o cabelo, dá um jeito para a maquiagem parecer linda e casual, capricha no perfume... e com isso faz as chances de encontrá-lo(a) na esquina despencarem. Esqueça, *baby*. O grande amor, a fulaninha ou o canalha estão predestinados a cruzarem seu caminho nos dias de cabelo bagunçado, roupa esquisita e vegetal no cantinho do sorriso.

Do mesmo modo, se quiser engravidar, pare de desejar. Não contabilize seu período fértil e desista de armar estratégias para o destino. Continue praticando esportes radicais, indo à balada, correndo maratonas. Na hora que ignorar de verdade, dará positivo.

A vida — como o leite — não está nem aí para sua pressa, para o seu momento, para sua decisão. Por isso você tem que aprender a confiar. A relaxar. A tolerar as demoras. A não criar expectativas. A fazer como minha mãe: i.g.n.o.r.a.r.

E lembre-se: tem gente que prefere ser lagarta a borboleta. Sem paciência com os ciclos, destrói o casulo antes do tempo e não aprende a voar.

CARTA PARA CORALINE

Quando você fugiu pela porta secreta, fiquei assustada por perceber que aquilo não ia melhorar em nada as coisas para você.

Sabe, de vez em quando é normal sentir que a vida que vivemos não é a vida que escolhemos...

Quando isso acontecer, lembre-se da estrada de tijolos amarelos. Aquela que Dorothy seguiu quando o mundo amanheceu irreconhecível.

A estrada é longa e deixará seus pés doloridos, mas, ao final, o encontro com o Mágico será tão somente o encontro consigo mesma, descobrindo que tem aqueles dons escondidos — pensamento, sentimento e vontade — tão reais e materializados como as figuras do espantalho, homem de lata e leão.

Esses dons já existem em você, Coraline.

Mas talvez precise perceber que a liberdade também.

É tão difícil nos sentirmos livres! Atribuímos as razões de nossas frustrações fora de nós, encontramos bodes expiatórios pra nossa falta de sorte e não percebemos que o caminho sempre esteve à nossa mercê e disposição, mas preferimos não arriscar.

Supomos que deixar nossas folhas em branco seja mais seguro do que simplesmente usar a borracha. Somos tão covardes, Coraline...

Tome cuidado pra não cair na armadilha da perfeição. Essa talvez seja a pior das prisões, e pode arrastar uma infinidade de consequências ruins derivadas dessa vontade de que tudo corra perfeitamente bem.

Nunca se esqueça: mesmo quando as coisas dão errado, a gente sobrevive.

Então desista dessa mania de levar o guarda-chuva dentro da mala para caso chova. Se chover, aproveite para voltar a ser criança — molhada, com o cabelo arrepiado e a maquiagem escorrida.

Tolere os imprevistos, encontre neles sua oportunidade de crescimento.

Não encha a despensa com tantos mantimentos — felizmente não vivemos em tempos de guerra e adaptar aquela receita vai estimular sua criatividade.

Corra mais riscos; deixe o protetor solar de lado por alguns instantes.

Não contabilize prós e contras de cada atitude — de vez em quando a gente perde, de vez em quando a gente ganha; ouça mais seu coração do que a opinião de sites especializados, livros ou conversas de estranhos.

Não abasteça sua geladeira com tudo o que o *Globo Repórter* diz — semana que vem a orientação é outra e você não descobriu o que é saudável (e possível) para você, só você.

Aprenda a confiar no seu taco, a ouvir sua intuição, a acreditar que é capaz de fazer boas escolhas sem um guru de estilo ou uma receita farmacêutica carimbada.

Confie — você não imagina o quanto isso pode ser libertador e transformador.

Antes que eu me esqueça: prefira uma verdade feia a uma mentira bonita. De vez em quando somos tentados a disfarçar nossas miudezas, e criamos fantasias em que pensamos que podemos nos refugiar. Mas isso dura tão pouco, Coraline... E quando a verdade aparece, o estrago é tão devastador... Assuma sua vida do jeitinho que ela é, sem tirar nem pôr; e nunca se envergonhe daquilo que lhe aconteceu. Essa é sua história, e negá-la só fará com que se sinta mais presa, mais encarcerada, mais infeliz.

Aprenda a tolerar seu enredo.

Vou contar: se existe um lugar onde você pode se refugiar em segurança, esse lugar é na verdade. Não negue seus afetos, suas alegrias, suas vitórias e seus desejos, mas principalmente não negue sua dor. A gente só sai da tristeza quando se permite vivenciá-la. Pode ser que um dia você sinta que seus olhos enxergam melhor quando estão úmidos. Isso acontece porque a lágrima lubrifica a visão, enquanto a tristeza nos reconecta ao que existe de mais verdadeiro em nós. Então chore, chore, e não disfarce seu abandono, sua decepção, raiva e frustração. Mas depois dance, dance, dance... pois a dor também tem o seu feitiço, Coraline.

Aproveite a viagem sem tentar entender cada passo. Nem tudo tem explicação lógica, e a vida, na maioria das vezes, é injusta mesmo — mas quem somos nós para julgar aquilo que é realmente justo? Então não fique olhando para o lado e tomando conta do que não lhe pertence. Ame o que lhe cabe e tolere as demoras, os percalços e as falhas. Não exija demais de si mesma nem dos outros. Esqueça um pouco o relógio e se perdoe quando preferir dormir um pouquinho mais no domingo. Você não é o homem de lata e muito menos o de ferro!

Acima de tudo, seja autêntica. Não endureça com medo de ter sua sensibilidade revelada nem se alegre demasiadamente para que não lhe percebam as lágrimas. Seja autêntica nos desejos, no descontentamento, na necessidade de ficar sozinha ou de dizer "não". Não se desdobre pra agradar todo mundo, isso é muito cansativo, desastroso e não lhe ensina o respeito por si mesma.

Por fim, mais uma palavra de bolso: tenha coragem de amar e ser amada. Mas não se surpreenda quando o amor lhe parecer imperfeito, cheio de nós, pontas e contradições. Nenhum amor é igual ao outro, e tentar algum modelo é desconstruir a liberdade de ser quem você é.

Por isso, não tenha medo de romper a fronteira daquilo que lhe parece seguro. Siga pela estrada de tijolos amarelos e, quem sabe, além do arco-íris, encontrará a si mesma mais amadurecida e feliz, Coraline.

A PALAVRA É DE PRATA, O SILÊNCIO É DE OURO

Quando eu era menina, minha mãe tinha aquele hábito do interior de dizer: "Moça boa não deve ser arroz-doce de festa...". Era pra gente se resguardar, valorizar a imagem, não ser presença batida nos bailinhos, não ficar cansativa demais.

Mas naquele tempo o perigo era ser enjoativa só aos fins de semana; hoje a coisa debandou de vez: toda hora no Instagram, todo tempo no feed de notícias, cada segundo no WhatsApp. Impossível fugir, difícil não ser encontrado, improvável desintoxicar.

A vida é barulhenta. Dentro ou fora de nós, nada se aquieta. Queremos nos comunicar, exigimos respostas na velocidade de super-hi-per-megabytes, contabilizamos notificações, desejamos ser cutucados de volta. Sem perceber, desaprendemos a silenciar. Desaprendemos a suportar a voz que cala e sofremos com a falta de respostas. Desaprendemos a ser ausência.

De vez em quando é necessário ser silêncio. Habituar-se à própria presença, se inteirar de sua solidão. Comunicar tudo sem dizer nada.

A gente vive certo porque errou um dia. E silencia quando entende que todas as palavras foram ditas. Porque de vez em quando aquilo que conserta é aquilo que cala ou ausenta. O nada que diz tudo.

Quando o verbo é equívoco, o silêncio é corretivo.

Mas não pode ser um silêncio forçado. Daquele tipo que quer chamar a atenção. Tá cheio disso por aí... De gente que anuncia a saída. Que exclui um amigo por desconforto consigo próprio. Que usa o silêncio como arma, a fim de manipular o outro. Não é por aí; falo de silêncio pra serenar a alma, proteger o espírito e encontrar o caminho de volta.

Preste atenção. Se você está cheio de barulho dentro de si, se seus pensamentos já não são mais seus e sim uma mistura daquilo que ouve, engole e não digere todos os dias; se seus sentimentos estão todos embaralhados e da boca só poderia sair desespero e desesperança, se seu amor-próprio ficou tão reduzido a ponto de só falar de suas carências, se tudo o que você quer é rastejar por mais uma chance, suplicar por mais uma mudança... então se cale. Saia de cena e espaireça um pouco.

Apenas respire...

Conte até dez, tome um café, desligue o celular, não abra o notebook.

Fácil não é. Qualquer nova escolha requer tempo para se tornar um hábito. E você precisa aprender a se resguardar. A diminuir o foco sobre você mesmo.

Porque são tempos difíceis. Todo mundo fala, todo mundo posta, todo mundo curte. Todo mundo aparece — de frente, de perfil, de costas, sorrindo, triste, indignado. E então você percebe que ser #todomundo não é sua praia. E sente falta do tempo em que as coisas eram mais simples.

Suportar o próprio silêncio — quando tudo o mais já foi dito — e sair de cena para a vida continuar, é quase como se curar de um vício.

Mais ou menos como engolir o choro, do mesmo jeito que você fazia quando era pequeno e seu pai vinha com aquela: "Engole o choro!", lembra? Então você engolia e ele descia engasgado, duro dentro do peito.

O que seu pai queria é que você tivesse autocontrole, entende? E é isso que você precisa agora para seguir em frente quando tudo o mais virou equívoco.

No fundo, no fundo, o que a gente gostaria é que nosso silêncio fosse produtivo, que gerasse bons frutos (do jeito que a gente imagina serem "bons" os frutos...). Mas... e se na verdade quem deveria mudar fosse você? E se o silêncio viesse para ensiná-lo e não "comunicar" apenas aos outros?

Então anote: autocontrole e silêncio. E se está difícil ter autocontrole, se sua vontade é pegar o telefone agora e discar aquele número fatídico, se sua mão coça de desejo de postar um álbum de fotos no Facebook ou no Instagram, se as mensagens não param de chegar no celular exigindo uma resposta... apenas respire. Respire e ore, respire e durma, respire e disque outro número, respire e desvie o foco.

Desaprendemos a seguir o conselho de nossas mães porque o mundo mudou. E de tanto desobedecer, nos tornamos reféns da ansiedade, do imediatismo, do "tudo ou nada", do "agora ou nunca".

E agora precisamos de um aplicativo que nos salve de nós mesmos. Ontem descobri que já existe — se chama "SelfControl". Ideia genial, diga-se de passagem. Porque, no fim das contas, autocontrole é raridade. E contar com um aplicativo que faça como seu pai, que te mande "engolir o choro" e que te ajude a reencontrar aquele que hoje se mistura ao #todomundo, é encontrar um tesouro. Procure, baixe, aprenda, use. Shhhhh... e boa sorte!

"A FELICIDADE DESPERTA MAIS INVEJA QUE A RIQUEZA"

Não sei dizer do que mais gostei no livro *O arroz de Palma*, de Francisco Azevedo. O livro é delicado e simples; seus personagens são repletos de defeitos e virtudes, com abundância daquilo que existe de mais humano em nós.

Tia Palma e Antonio, os personagens centrais, parecem nossos chegados, e tia Palma não peca pelo excesso de palpitações. Um dia, a pitoresca senhorinha vai passear na casa de Antonio. Chegando lá, se depara com o arroz — que tem uma história linda — exposto dentro de um pote de cristal no restaurante do sobrinho. Sábia, pega o rapaz pelo braço e aconselha baixinho: "O arroz é a tua felicidade. [...] Não deves fazer alarde dela. A felicidade, meu filho, desperta mais inveja que a riqueza".

Tia Palma tinha razão. Expor a felicidade é vaidade.

Não basta ser feliz, ter afetos à sua volta, comida à mesa, teto, paz? É preciso expor para validar?

Com o tempo a gente aprende: a alegria incomoda. E desperta desejos. Sempre terá alguém querendo experimentar um pouquinho do seu arroz, esse, que você tanto valoriza.

Não é pecado ser feliz. Não há nada de errado em irradiar alegria.

O perigo é usar isso para alimentar o ego.

Felicidade e ego não combinam, e é aí que muita gente se dá mal.

Felicidade é bênção.

O arroz é bênção. Mas quando você se engana colocando-o num pedestal e se infla por possuí-lo, ele deixa de ser dádiva. Passa a ser instrumento de sua vaidade, e atiça a cobiça.

Não é preciso ser publicitário do próprio bem-estar. Não é preciso estardalhaço para mostrar ao mundo nossa vitória — contra a solidão, contra a baixa autoestima, contra o tédio.

Ninguém é cem por cento feliz ou tem a vida perfeita como num comercial de margarina.

É fácil vestir um personagem e mostrar a perfeição, mas aprendi que quem tem certeza de que é possuidor de riquezas não fica mostrando por aí. Não precisa postar no Facebook nem viver de aparências.

Se você não deseja inveja à sua volta, me permita um conselho: cuide de seus canteiros com humildade. Exercite o encantamento do agricultor que se maravilha com o desabrochar da roseira, mas não tenta esconder os espinhos nem as pragas.

Toquinho, em "À sombra de um Jatobá", canta lindamente: "Poucas coisas valem a pena, o importante é ter prazer[...] longe do amor de quem nos finge amar".

Preste atenção à sua volta. Você não precisa de bajuladores, de um milhão de amigos que reafirmem quem você é. O importante é ter poucos e bons afetos, aquela turminha que sabe do seu sabor, de suas lutas diárias e vitórias merecidas.

Gosto de gente sem agrotóxico. Que não tem vergonha de sua casca imperfeita e se perdoa pelas pragas. Que não tem medo de mostrar suas fragilidades do mesmo modo que se vangloria de suas virtudes.

Gente que não se infla para parecer maior do que é.

Gente que se humaniza e se aproxima de mim.

Que não faz alarde de sua felicidade, mas valoriza o que vale a pena — como a sombra de um jatobá.

O DENTE MOLE

Fazia dias que o dente amolecera. Como seus companheiros, sabia que se aproximava a hora da partida, de se soltar gentilmente e deixar que outro, maior e mais forte, ocupasse seu lugar. Mas ele não queria partir. Sabia que se fosse, o sorriso do menino se abriria como uma janela dupla, e por isso permanecia fiel, como uma portinha capenga, frouxa, de parafusos soltos.

O menino tinha medo também. Fez um pacto silencioso com o dentinho mole e jurou mantê-lo até o último suspiro, na vã esperança de que assim pudesse segurar um pouquinho de infância também.

A semana passava e a portinhola perdia parafusos, despencava lateralmente e agora o dente mais parecia um náufrago ou o sobrevivente de uma queda, que se agarra a um cipó e tenta com desespero permanecer salvo frente ao desfiladeiro.

O menino comia devagar. Não se queixava, para não despertar ansiedades. A mãe, dentista, já tinha dado as orientações de praxe, mas era paciente e tentava enxergar com o coração. Acreditava na dor das despedidas, na dor do crescimento. E por isso entendia o luto, que era natural, mas nem por isso menos doloroso.

Então, numa manhã, enfim conformado, o menino pediu que a mãe desse um jeito. Com um chumaço de algodão, os dedos da mãe se aproximaram do dente e este, respirando fundo, simplesmente se soltou. O menino mantinha os olhos fechados e nem percebeu quando a mãe mostrou, cheia de orgulho, o dentinho exausto e entregue. Com um suspiro, foi ao espelho conhecer seu mais novo sorriso.

Essa historinha contemplou minhas duas últimas semanas. Ontem o dentinho caiu e trouxe o entendimento de que a vida é feita de lutos. Lutos pequenos ou grandiosos, que permanecem conosco no decorrer dos dias.

Todos os dias, claramente ou não, processamos um luto. E a cada luto, uma parte nossa se entristece, se enrijece, vem à tona. Por isso não é possível acreditar que a tristeza não seja legítima. Ela é tão legítima e presente quanto a alegria. E é normal senti-la assim "do nada" em um dia comum.

Não percebemos, mas nos despedimos diariamente. Só assim crescemos. Qualquer escolha que fazemos, desde o que vamos almoçar até os rumos de um relacionamento, implica uma renúncia também. E o luto é vivido a cada frustração, decepção, medo, ansiedade, angústia, tristeza de um dia rotineiro.

Quando escolhemos sair de casa de manhã para trabalhar, vivemos o luto de trancar as portas, nos despedir dos filhos, de parceiros... e seguir nosso itinerário. Com sorte temos um trabalho, uma escola para ir. Nos envolvemos em nossas demandas e de vez em quando sentimos os pensamentos zapearem em saudades, em excesso de passado, em culpa. Convivemos com o luto de nossos pensamentos, com as consequências de nossas escolhas. Tudo flui naturalmente, e quase não percebemos os sacrifícios, as concessões, as decepções — partes do processo natural — e nos incomodamos quando nos percebemos tristes. Como se isso não fizesse parte da vida; como se a tal "ditadura da felicidade" nos impedisse de entrar em contato com nós mesmos.

O luto faz parte e é necessário. É claro que não vamos passar nossos dias analisando pensamentos, diagramando frustrações, contabilizando renúncias. Mas podemos aceitar nossas limitações, ser condescendentes com nosso tempo, tolerantes com nossas demoras.

Somos todos meninos temendo perder o dentinho de leite. Mesmo que tenhamos encarado essa fase com otimismo e coragem, certamente virão outros perrengues. Porém, a esperança é que, como disse Caio Fernando Abreu: "É da natureza da dor parar de doer".

CADA UM SABE O QUE TRAZ NA BAGAGEM

Às vezes entendemos a vida do avesso. Seja porque nos ensinaram assim, ou talvez porque simplesmente não compreendemos as coisas quando foram ensinadas, ou, ainda, porque o único jeito que encontramos para lidar com aquilo foi de uma forma distorcida.

O fato é que continuamos a viver assim, entendendo tudo ao contrário — como se fosse certo — e obtendo resultados ruins.

Um dia, numa hora qualquer, percebemos os estragos de ter compreendido errado. Porque não facilitamos as coisas para ninguém, principalmente para nós mesmos.

É preciso entender que as pessoas têm visões diferentes da vida, dos momentos, dos acontecimentos. Porque deduzem baseadas nos primórdios do aprendizado, naquela porção interior cheia de mistérios que ainda estamos longe de compreender.

Cada um sabe o que traz na bagagem. E ninguém tem visão de raio X (como numa esteira de aeroporto) para desvendar o que vai dentro do outro. E mesmo tentando explicar, é difícil compreender.

Por isso, o que me deixa à flor da pele não é o mesmo que te excita, o que me faz ferver por dentro não provoca nem cócegas em você, o que não suporto é indiferente aos seus sentidos, o que você oculta é escancarado em mim. Porque somos complexos até para nós mesmos. Assimilamos distorções e colecionamos traumas que emergem nas horas mais impróprias: um encontro inusitado, um filme bobo, um tropeção sem importância. E choramos "sem motivo", surtamos "sem razão", nos declaramos "do nada".

Nessas horas deixamos vir à tona o que andava guardado há muito tempo, naquele cantinho da bagagem onde colocamos pequenos pertences e grandes segredos.

Então se descobre que *qualquer fato* pode trazer à tona sua versão mais primitiva. E, se tiver sorte, você pode consertar alguma coisa a partir daí, porque percebe que é hora de encontrar o caminho de volta.

E o caminho de volta pode conduzir você ao mesmo lugar de onde partiu, mas você saberá lidar melhor com a situação.

Ou levará você a uma rua totalmente nova, com paisagens inéditas, como folha em branco. Mas é fundamental que encontre um caminho.

Pois a vida não parou, ela só te mostrou que às vezes não adianta ter razão, não adianta querer muito alguma coisa, não adianta acreditar. Certas coisas simplesmente acontecem, aleatoriamente, livremente. E isso não se refere necessariamente a você. Isso faz parte de um equilíbrio universal — talvez como as folhas que caem e se renovam com a mudança das estações — e basta estar vivo para estar sujeito ao caos.

Sobreviver é reconhecer novas chances, novos recomeços, novas possibilidades.

Entender que uma janela se fecha enquanto uma porta se abre; entender que se fixar no cadeado sem chaves é perda de tempo, burrice talvez.

Então você se dispõe a recusar o papel de vítima, e aprende a desdenhar qualquer emoçãoególatra...

Finalmente você percebe que é único. E algumas questões pertencem somente a você. Exclusivamente. E, se estar à flor da pele por motivos aparentemente banais faz de você quem é, apenas aceite. Aceite e toque seu barco sem perder a fé, entendendo que todo mundo tem sua própria bagagem também, algumas mais leves, com rodinhas ultradeslizantes; outras pesadas, com a alça desabando...

Porém, haverá um momento — quando você menos esperar — que já não estará tão pesado assim. Nem difícil. Estará apenas mais adaptado ao seu corpo, ao seu tamanho, às suas forças... a você.

VIVEMOS ESPERANDO

Não sei de onde vem a ideia de que a vida deveria ser um presente de grife, embrulhado em papel de seda, ornamentado com laço de cetim.

Sem querer ser pessimista, prefiro acreditar na vida como um presente gratuito, com cheirinho familiar, embrulhado em papel pardo e barbante, de sabor conhecido.

"Era só isso?" Sim, só isso.

Existe sabedoria na descoberta de que tudo é imperfeito e trivial.

Quando fazemos as pazes com a imperfeição dos dias, das pessoas, de nós mesmos, deixamos de nos sentir insatisfeitos; enfim relaxamos e aprendemos a contemplar o presente.

Quem acreditou que o "só isso" não bastaria, comprou a falsa ideia de felicidade, a felicidade plastificada que só funciona no Photoshop, mas que não é definitiva nem palpável.

Altos e baixos hão de vir, mas o restante é simples. O restante é modesto. A maioria dos dias é comum, familiar, gratuito — feito papel pardo atado com barbante.

Almejando exclusivamente nosso final feliz deixamos de aproveitar a viagem.

Ao imaginar a vida como um projeto de fortes emoções, beijos apaixonantes, música-tema de fundo, deixamos de nos alegrar com aquilo que é. Aquilo que simplesmente é.

A exigência da felicidade se tornou causa de infelicidade. Porque vivemos esperando, buscando, desejando... e esquecemos de usufruir.

Usufruir do presente, da paz acolhedora que nos reconcilia com a vida e suas possibilidades, do cotidiano do trânsito caótico, das contas a pagar. Mas também de cheiro do filho, elogio gratuito, pôr do sol visto da janela do carro, beijo de boa-noite, fim de semana no campo, chuva molhando a grama, abraço acolhedor.

Vivemos esperando por dias melhores e esquecemos de admirar nossas conquistas diárias, aquilo que é possível — "só isso".

Quando paramos de desejar o inatingível, de nos iludir com a grama do vizinho e tanta propaganda enganosa... finalmente amamos mais. Amamos nosso dia a dia cheio de altos e baixos; nossos afetos conquistados e nem sempre perfeitos; nosso trabalho cansativo que garante nosso sustento; nossa realidade imperfeita e tão particular.

Sofremos porque imaginamos a vida como algo que não temos. Ao desejarmos a lua cheia, deixamos de admirar a suavidade da minguante. Sem querer, desprezamos nossas conquistas, imaginando haver um pote de ouro além do arco-íris, ou *50 tons de cinza* além do que conhecemos tão bem — nosso delicioso feijão com arroz.

De tanto desejar, cortejamos a falta, a insatisfação, o buraco interno que nos faz infelizes enquanto alimentamos a ilusão de estarmos vivos e em movimento.

E não percebemos que o que dá sentido à vida não é a busca e sim o encontro, a admissão de se estar pronto, inteiro, completo — e também imperfeito e simples.

Enquanto vivermos de expectativas, sempre haverá a possibilidade de nos frustrarmos. Mas isso também é uma escolha, uma opção. Como no verso de Drummond: "A dor é inevitável, o sofrimento é opcional...".

CASTELOS RUÍDOS

Construímos nossos castelos na infância. Fazemos pactos silenciosos com nós mesmos e prometemos cumpri-los quando enfim estivermos crescidos.

Quando a sorte joga a nosso favor, conseguimos escrever nossas histórias e concretizar nossos planos, mas, e quando não chegamos lá por obra daquilo que não dependeu de nossa vontade? E quando nossos castelos desmoronam pela força do vento ou das tempestades?

É muito difícil crescer e nos depararmos com um sujeito diferente daquele que sonhávamos. Nem tudo está sob nosso controle, e ondas podem devorar nossas promessas, lembrando que somos pequenos como grãos de areia.

Não somos heróis, não derrotamos dragões, ainda temos medo. Somos falíveis e podemos deixar a mocinha esperando simplesmente porque não sabemos o que queremos ou de que forma fazê-lo. Ou sabemos, mas a mocinha não ficou à nossa espera.

Crescemos, mas ainda carregamos dúvidas, fraquezas, ilusões... Somos homens de paletó e gravata, mas ainda machucamos quem amamos, ferimos a nós mesmos, erramos, desistimos, tentamos recomeçar. De vez em quando somos ogros, nunca príncipes.

A menina que um dia fomos precisa entender que, às vezes, terá que descer da torre sozinha e tratar de ser feliz. E que dragões vão aparecer ao longo do caminho e ela terá que enfrentá-los com disposição e espírito guerreiro, entendendo que ninguém detém o poder da felicidade alheia.

Essa fórmula é individual e a receita é exclusiva.

Quando a mocinha aprender que a vida fora da torre pode ser mais divertida e prazerosa, conseguirá identificar seu príncipe por trás das máscaras. Ou nunca o encontrará, e aprenderá a lidar com isso, pois fará sua criança entender que encontrar alguém nunca foi o mais importante.

Ao longo da vida, muitos castelos irão ruir. E conviver com os destroços nunca será simples. Nos apegamos às ruínas como parte de nossas identidades. Sentimos pena da criança que chora sozinha nos escombros.

Por trás de sua orfandade existe frustração por não ter tido suas promessas cumpridas. Para seguir em frente, precisa se reconciliar com o adulto e aceitá-lo.

    Reconciliar-se com o adulto que trabalha de segunda a sexta numa repartição pública quando o trato era ser músico, surfista ou veterinário; aceitar o adulto que lhe deu somente um filho em vez dos dois que haviam combinado; perdoar o adulto que se embebeda num sábado à noite pra disfarçar a solidão quando jurou que ia ser livre e dono do próprio nariz; perdoar o adulto que se divorcia pela terceira vez quando o trato era ser feliz para sempre ao lado da mesma mulher; aceitar o adulto que combinou fazer bodas de ouro com o amor de sua vida, mas não chegou nem às de prata; aceitar o adulto que sofre com a perda do filho quando o certo era não haver luto pelo caminho; reconciliar-se com o adulto que envelhece dia após dia diante do espelho apesar da promessa de que seria jovem para sempre, sem rugas, cabelos brancos ou dores pelo corpo.

    Você se cobra demais, se exige demais, se envergonha demais. Suas expectativas estão nas mãos de uma criança tirana que vive dentro de você. Está na hora de renegociar os contratos, rever as promessas, afrouxar as exigências. O futuro ainda reserva boas surpresas, mas perceber que o merecemos sem dívidas é o melhor jeito de curtir a viagem, nos aceitando com todas as dificuldades, impossibilidades e limitações; nos enxergando mais humanos e menos heróis.

DIAS DE OUTONO

Hoje, dirigindo de casa para o trabalho, pensei na quantidade de imprevistos que nos cercam. Lembrei-me da dengue que deixou meu filho doente em pleno encontro de turma na minha casa; da pneumonia que minha mãe contraiu esse fim de semana na praia junto dos três filhos, genros, noras e netos, bem na véspera do Dia das Mães; da arritmia cardíaca que me fez perder os sentidos enquanto dirigia levando meu filho para a escola na semana passada.

Paramos para pensar na imprevisibilidade da vida quando acontecem sustos assim, em meio ao que pensávamos ser "mais um dia", na condução de nossos dias, no controle que imaginamos ter.

Insisto em acreditar que jamais seremos donos do nosso nariz. Talvez sejamos como folhas de outono que não controlam a direção do vento — e algumas vezes nossas intenções não bastam para o resultado final.

A vida impõe pausas. Dá freadas bruscas no meio do caminho e, com sorte, nos permite reavaliar a rota, o trajeto, o cuidado com o equipamento.

Nesses dias de outono, em que saímos do verão e ainda não estamos prontos para o inverno, pode ser que o corpo (e o espírito) se ressinta. "Ainda não é chegada a hora de hibernar", ele dirá. Mas o outono dos dias pode ser a oportunidade de adaptação. Permitir-se um pouco de abandono diante do caos diário, das decisões não tão importantes assim, dos desejos insuportavelmente desnecessários.

Podemos querer muito alguma coisa, mas isso não garante que seja nossa. Podemos desejar muito um momento, mas isso não o torna possível.

A perfeição das coisas, dos dias, dos acontecimentos... não nos pertence. Tudo faz parte de uma trama maior, na qual estamos inseridos, como linhas coloridas que se entrelaçam formando a tecelagem. Temos intenções, supomos nossas direções, conduzimos a ponta de nossas "agulhas", mas o desenho final pode ser diferente do que imaginamos.

É preciso planejar sem grandes expectativas; acreditar, perdoando se não for possível; sonhar, somando esperança com otimismo; arriscar, sem culpa ou arrependimento.

Entender, acima de tudo, que não somos culpados pelo acaso, por aquilo que não controlamos, por ventos súbitos que mudam nossa direção. Além disso, nunca é o bastante lembrar que amor não se cobra, e com saúde não se brinca.

Por isso, se perdoe quando for menos amado do que gostaria e se permita um pouco de repouso — sombra e água fresca — de vez em quando.

Pausas são necessárias, e uma hora você irá perceber que foi importante ter o freio de mão puxado, a rota desviada, a tecelagem desorganizada.

E simplesmente agradecerá por estar vivo, em segurança, em paz. Curtindo seus dias de outono, enquanto o inverno não vem...

PÉ DE FEIJÃO

Era um trabalho para a escola. Dois vasos, três grãos de feijão em cada um. A mesma terra, o mesmo adubo, a mesma irrigação. A diferença: a claridade — um dos vasos ficaria no escuro; o outro, na luz.

Dia após dia, meu menino e eu observávamos o desenvolvimento dos grãos. Mesmo sem fotossíntese, sabíamos que algum crescimento aconteceria no vaso do escuro. Porém, ainda assim, diariamente nos surpreendíamos com a valentia do grão que, em total ausência de claridade, resistia e rompia as fronteiras na terra, subindo em direção a alguma luz que ele supunha existir fora dali, com o caule branco e algumas folhas bem desbotadas, levemente esverdeadas.

Já no vaso da claridade nada ocorria. Afofávamos a terra com nossas mãos invasoras, tentando facilitar as coisas para os grãozinhos preguiçosos, conversávamos com eles, aguávamos com cuidado... em vão. Após cinco demorados dias e já sem esperança, nos demos por vencidos e entendemos que o vaso da luz não daria à luz.

Porém, muito mais que aprender sobre fotossíntese, a simplicidade da vida veio trazer entendimento sobre a complexidade dela.

E o que eu poderia dizer ao menino que esperava em vão por suas plantinhas muito, mas muito verdes?

Que não tinha dado certo, ele já sabia. Mas talvez precisasse entender que de vez em quando a gente é obrigado a se render. A aceitar o improvável, a se conformar com o que não é óbvio, mas ainda assim tem força para acontecer.

Durante a vida, muitas plantas irão florescer em lugares improváveis, sobrevivendo em meio a construções, despontando valentes por entre calçadas de cimento, desafiando a aridez do concreto, suportando a falta de vida do terreno, resistindo às intempéries da jornada. Outras, tão desejadas e cuidadas, não passarão de sementes acanhadas, inexplicavelmente covardes a voos mais altos.

Não basta desejar, meu menino. De vez em quando, querer não é o bastante para que as coisas aconteçam. E mesmo que a gente fique tentado a comparar, dizendo: "não é justo, ali não merecia haver vida e aqui sim…" ou "eu queria tanto que desse certo…", nem tudo está sob nosso controle, e comparações são perda de tempo quando se trata de natureza ou sentimentos…

Por isso, o negócio é aceitar. E depois, quem sabe, tentar de novo.

Foi o que fizemos. Dias depois, certos de que não havia mais o que esperar, trocamos a terra, escolhemos outros grãos na despensa, realizamos novo plantio. Em três dias nossos novos pés de feijão despontaram valentes, muito verdes, cheios de folhas. O experimento durou mais uma semana e hoje, feliz da vida, meu filho entregou os dois vasos à professora.

Essa experiência, meu menino, não termina aqui. Pode ser que daqui a alguns anos você perceba que não há nada de simples em recomeçar. É difícil e doloroso entender que um tempo chegou ao fim. Vivemos de esperanças; como você, do alto dos seus sete anos me pedindo para esperar mais um dia antes de tirar a terra do vaso — desistindo de suas sementes não germinadas — e começar de novo. É normal olhar o canteiro com as sementes que não brotaram e rezar para que alguma vida surja ali. Negociamos, barganhamos silenciosamente com Deus para que faça um milagre, que permita que aquela — exatamente aquela — semente dê frutos. Mas sabe, nem sempre acontece. Então de vez em quando é necessário aceitar que nossa hora passou. Que daquela terra não brotará mais nada. É um choque de realidade, eu sei; mas só assim acatamos o que é verdadeiro.

Só assim teremos disposição para o replantio. Só assim teremos coragem de olhar para a frente… de que jeito for.

INTERESTELAR

(Obs.: contém *spoiler* do filme de 2014)

Há alguns dias, estive no cinema e me comovi com a ficção *Interestelar*.

O filme conta a história de Cooper, um agricultor, ex-piloto de testes da Nasa, viúvo, pai de duas crianças, que se vê num dilema: aceitar embarcar numa missão espacial ou não. O maior desafio, porém, está na passagem do tempo. Para os filhos, o tempo transcorrerá normal, hora após hora, dia após dia, ano após ano… enquanto para o pai, no espaço, o tempo transcorrerá mais devagar, no compasso de alguns minutos.

Num dos momentos, durante a visita a um planeta fictício, os astronautas se atrasam alguns minutos, e com isso perdem vinte e quatro anos no tempo da Terra. Para Cooper, um tempo precioso ao perceber que perdeu a infância das crianças.

Enquanto Tom, o primogênito, envelhece diante da tela do computador enviando mensagens periódicas ao pai; Murphy, a caçula, ressentida da partida de seu grande herói, se recusa a enviar mensagens. Até o dia que percebe que ela e o pai estão muito mais ligados do que poderiam supor.

Enfim, entre suspense e lágrimas, reconheci um pouquinho da minha humanidade ali. E por isso me comovi diante da história do pai que perde a linha condutora da vida de seus filhos. De afetos que se perdem pelo caminho, como se o tempo corresse diferente para cada um.

Sempre imaginamos que teremos mais tempo. Que podemos deixar para depois certas ações, que elas se concretizarão naturalmente, dentro do nosso relógio. Porém, nem sempre o nosso momento é o *Tempo* que está reservado para nós. E é muita pretensão acreditar que podemos prorrogar nossos passos ou adiantar nossos desejos só porque acreditamos que domamos os relógios da vida e dos acontecimentos.

Cooper acreditava que ainda conseguiria sair em missão e voltar para seus filhos. Acreditava que ainda poderia acompanhar a infância de suas crianças e ser um bom pai. Contudo, para eles é tarde demais, infelizmente.

É devastador descobrir que chegamos tarde demais. Que deixamos para depois o que nunca mais poderá ser realizado. Que adiamos nossa vida em busca do momento perfeito ou da hora ideal, sem perceber que a vida acontecia no aqui e agora; sem nos darmos conta de que o presente era precioso demais para simplesmente ser adiado.

Querendo ou não, tudo gira em torno de uma balança. E definir nossas prioridades ou escolhas se torna essencial para decidir aquilo que não queremos deixar para trás ou chegar atrasados demais. Inconcebível seria chegar tarde para a infância dos filhos, para o relacionamento de nossa vida, para as chances improrrogáveis ou os momentos perfeitos que ditarão a eternidade.

Interestelar recusa a morte como recusa o fim de um tempo. Cooper, desejando salvar seus filhos — e a humanidade — do apocalipse que se aproxima, se voluntaria para a missão, a última chance de fazer aquilo que, para ele, é sua verdadeira vocação. Porém, ao perceber a velocidade com que o tempo passa para quem ele ama, se arrepende da empreitada e descobre que fez a escolha errada. Quer voltar, pois de nada adianta o tempo não se mover para ele, se passa e leva embora aqueles que ama.

Assim, não há remédio que cure a morte de um tempo. Podemos brincar de faz de conta, mas, ainda assim, temos que nos adaptar e ajustar ao que resta de nós apesar das perdas e despedidas inerentes a qualquer vida.

Interestelar é uma ficção que brinca com a ciência, mas, acima de tudo, fala de amor. Do sentimento que ainda move o homem e conduz suas ações. Do que motiva alguém a buscar a escuridão — o buraco negro — para trazer luz à sua família.

Recusamos a morte e queremos que o amor nos salve da vida. Buscamos a escuridão desejando que ela nos traga alguma luz. Desafiamos o tempo almejando desperdiçá-lo e guardá-lo no mesmo instante; corremos riscos para nos sentirmos seguros; nos perdemos para nos encontrarmos. Percebemos, enfim, que o triunfo da vida está no amor; nem sempre claro, nem sempre explícito, mas, ainda assim, real.

Saí do cinema reconfortada por uma parte de mim ter sido acolhida naquela história. Uma parte de mim que se ressente das perdas, do que o tempo levou e não traz de volta, das ausências, dos hiatos que se consolidaram com a distância. Porém, ainda acreditando no amor. Nessa força poderosa que nos torna seres vivos. Que nos torna simples e poderosamente... humanos.

MEU LUXO É CLICHÊ

Ontem acabaram minhas férias, quinze dias de puro luxo.

Como já disse Danuza Leão, existem luxos e luxos. Obedecendo à cartilha da colunista, estive em Buenos Aires com o livro *De malas prontas* debaixo do braço, cheio de dicas.

Lá, seguimos a recomendação de tomar o chá da tarde no Alvear, hotel tradicional do bairro Recoleta. Sentados diante de uma mesa com porcelana centenária e canapés minimalistas, olhava para os lados e me perguntava quem é que estava se divertindo ali. Tudo bem, de vez em quando é bom entrar no clima, tomar uma taça de champagne no meio da tarde com o marido, mas aquilo de beliscar minissanduichinhos e comer tortinhas decoradas com frutas em compotas com certeza não faz parte de minha natureza nem do meu "requinte".

Dias depois, de volta ao meu ninho, o frio chegou a Campinas. Numa tarde de puro ócio com meu filho, partimos para o clássico piquenique na cama. Ele decidiu fazer uma barricada de almofadas e cobertor enquanto preparei pão de queijo e chocolate quente. Um clichê luxuoso acompanhado da série *Anos Incríveis* no DVD. A poesia do seriado nos preencheu duas tardes inteiras e, lá pelas tantas, provoquei: "Nosso lanche tá melhor que aquele chá do hotel chique em Buenos Aires, não é?", ao que ele respondeu de boca cheia: "Bemmm melhor...".

Cheguei à conclusão de que meu luxo é clichê. Não tem relação com dinheiro, e sim com a forma de usufruir a rotina ou simplesmente pausar o instante a fim de percebê-lo melhor.

Meus luxos são clichês, tão comuns como assistir a *Anos Incríveis* na cama, numa tarde chuvosa.

Buscar o filho na escola e comprar um saquinho de pipoca na saída; tomar um café fresco na xícara de estimação enquanto escuto Chico Buarque cantar "Carolina" e pensar que eu poderia me chamar Carolina também, e ter aqueles olhos tristes cheios de sentimento e poesia; assistir pela milionésima vez a *Era uma vez na América* e me encantar com Robert De

Niro, com a trilha sonora e com a emoção que o filme desperta; ganhar de presente um livro novo, de um autor desconhecido, ficar embasbacada com a forma que ele escreve e querer escrever assim também; tomar uma taça de vinho no jantar, mesmo sendo segunda-feira, e ficar engraçada de repente, fazendo o marido rachar de rir; ouvir um elogio sincero; ter vontade de fazer um elogio sincero; colocar o filho pra dormir e ganhar um abraço de urso; sentir o sol de inverno no rosto; tomar quentão e vinho quente em copinho térmico na festa junina; lavar a louça do almoço de família enquanto minha mãe enxuga os pratos e confidencia bafos e babados de uma época feliz; assistir à reprise das novelas no Viva e perceber que o tempo não poupa ninguém; encontrar meus primos; visitar a rua em que moramos na infância e reparar que a antiga residência continua igualzinha àquela que a memória guardou; ler cartas antigas e relembrar uma amizade verdadeira que ficou pra trás; passar o Réveillon na casa daquele tio saudosista que adora vinho e tangos; ganhar florzinha colhida pelo sobrinho pra enfeitar o cabelo; ligar para a avó e ela me tratar como uma criança trinta anos mais nova; acertar a receita da lasanha e impressionar os sogros e as cunhadas; acordar no meio da noite para cobrir o filho e não perder o sono depois disso; pedir para o cabeleireiro cortar só dois dedinhos e ele cortar só dois dedinhos; receber e-mail do pai; voltar do trabalho pra casa ouvindo Eric Clapton pensando em como a vida faz sentido quando se ouve "Change the World"; ir à terapia e notar o olhar orgulhoso da terapeuta enquanto fala: "como você progrediu..."; andar no shopping de mãos dadas com meu menino de oito anos e perceber que logo, logo ele irá crescer e esse costume vai passar; ajeitar o cabelo fino da minha mãe e descobrir que preciso ter mais tempo para ajeitar o cabelo fino de minha mãe; ganhar um desenho do filho no qual ele me retrata mais linda e mais sorridente do que posso supor; fazer uma lista de luxos e constatar que tenho tido uma vida luxuosa ou, melhor dizendo, uma vida feliz.

LEITURA DO MUNDO

Manoel de Barros, poeta brasileiro, escreveu: "Não aguento ser apenas um sujeito que abre portas, que puxa válvulas, que olha o relógio, que compra pão às 6 da tarde, que vai lá fora, que aponta lápis, que vê a uva etc. etc. Perdoai. Mas eu preciso ser Outros. Eu penso renovar o homem usando borboletas".

Somos a leitura que fazemos do mundo. E podemos ler delicadezas, miudezas, singelezas ou, ao contrário, aceitar o espetáculo do medo, da falta de esperança, da ausência de fé.

Que possamos nos inspirar em Manoel de Barros e ouvir mais canto de passarinho que ronco de motor; acompanhar mais a marcha das lagartixas que notícias bombásticas na TV; socorrer joaninhas caídas de costas no lugar de dar ouvidos a tanta previsão catastrófica por aí.

O que sinto é que o mundo poderia nos encantar e nos tirar da mesmice se nos detivéssemos mais ao chão e ao céu que ao espaço intermediário entre esses dois.

Se a gente aprendesse a importância dos quintais e dos gravetos, do cheiro de suor e da terra molhada, de bolo de areia e espuma de nuvem.

Como escreveu Manoel de Barros, "poesia é voar fora da asa". É sair da obviedade do seu mundo e viajar para outros espaços de si mesmo.

Quando viajamos, o tempo corre alterado. É que passamos a observar as entrelinhas dos lugares, alcançando suas profundezas.

Talvez seja isso que nos falte: alcançar as profundezas da vida, desbravando mais as próprias fronteiras que os abismos do lado de fora; descobrindo mais de seus mistérios e despropósitos que de suas resoluções e metas para o próximo ano; descobrindo-se mais poesia que poeta; mais ventania que alicerce; mais orvalho que temporal; mais aroma que perfume; mais sabor que paladar.

Com o tempo aprendemos: reinvenção é melhor que perfeição.

E vamos descobrindo que é possível nos reinventarmos todo dia, fazendo nossa leitura do mundo da maneira mais bonita que pudermos, buscando nossas respostas no vazio ou no barulho do vento, na tristeza ou no desbordamento do sorriso.

Ou, feito o menino de Manoel de Barros, o menino que queria carregar água na peneira e gostava mais do vazio que do cheio — "falava que os vazios são maiores e até infinitos" — descobrindo que quem dá a dimensão para o mundo somos nós. Nós e nossa leitura do mundo, reciclando e renovando a cada dia, nem que seja "usando borboletas".

CARTA AO TEMPO

Querido tempo,

    Assim como a letra de Maria Gadú, quero fazer um acordo contigo.

    Nosso vínculo não tem sido dos melhores, e cansei de ser submetida ao seu domínio. Como já disse antes, não desejo mais corridas em minha vida. E, por mais que resista, você me faz correr. Por mais que declare independência, você insiste em me submeter. Já não quero mais ser controlada por você. O tempo dos relógios me cansa. E me faz perder tempo — o velho paradoxo em que a vida dos ponteiros nos faz perder tempo na vida... Meu cotidiano foi invadido por compromissos, responsabilidades, horários. Tudo isso faz parte, você dirá, e até posso concordar com você — é assim que educamos nossas crianças, não é? Desde muito cedo com um relógio no pulso e regras rígidas que compõem o que chamamos de "rotina".

    Mas se damos a mão, você quer o braço. Por isso, me sinto sugada por você, "senhor tão bonito". Não deveria ser assim.

    As regras não deveriam valer para mães, por exemplo. Mães de meninos que crescem depressa, enquanto cumprimos a aceleração dos ponteiros fora de seus horizontes.

    Também não deveriam valer para almoços de família com netos reunidos em volta de uma mesa barulhenta.

    Quebraria suas regras todo e qualquer pai que trabalhasse fora e só lhe restasse a noite para estar com sua família — o tempo das estrelas poderia durar muito mais, antes dos pijamas chamarem para o sono.

    Você tem me feito uma pessoa diferente da que planejei. Tenho andado ansiosa, falando rápido e comendo apressada. Me enervo com o motorista lento à minha frente e peço para meu filho não enrolar diante da TV na hora de ir para a escola. Beijo meu marido sem olhá-lo nos olhos e fico impaciente com as filosofias de minha mãe ao telefone. Aliás, parei de gostar de telefone por sua culpa (acho que esse foi um ganho... ou não?).

    O pior é constatar que poderia andar mais devagar, não fosse o senhor me empurrando pra todo canto. Eu poderia escolher um CD bem bacana para ouvir no carro enquanto o motorista lento desfila à minha frente; poderia assistir ao Tom & Jerry com meu filho antes da escola, e rir ao seu lado descontraidamente. Poderia agradar meu marido com uma presença tranquila, de semblante apaziguador; poderia conversar com minha mãe sem pressa e até gostar de um telefonemazinho de vez em quando.

Mas sabe? O senhor está me esgotando. Pensando que é dono de meus caminhos e senhor do meu pulso, me conduz sem negociada compaixão. Minhas pulsações, porém, cansaram de seguir o tique-taque dos segundos em sua cadência compassada e ritmada.

Meu compasso é outro, e mesmo que minhas obrigações determinem certas programações, hoje te peço paz. Quero a paz dos libertos e a serenidade dos escolhidos.

Não quero o tempo de Benjamim Zambraia — da obra de Chico Buarque — cujo prazo se esgotou quando percebeu que poderia ter se detido "em momentos que lhe pertenciam, e que antes não soubera apreciar". Ou que poderia, tarde demais, "penetrar em espaços que não conhecera, em tempos que não eram o seu, com o senso de outras pessoas".

O tempo é relativo, dirão os físicos. Para mim, tem se tornado escasso onde quero me demorar. E escolhi me demorar no cheiro de canela, nas páginas de Phillip Roth, no cafezinho cara a cara com minha mãe, nos lençóis com meu marido, no futebol despretensioso com meu filho. Longe dos relógios burocratas e compromissos agudamente pontuais.

Por isso, peço-lhe tempo. Sim, o tempo dos amantes quando se desentendem. Me dê um pouco dele. Tenho que repensar nossa relação tumultuada, nosso pouco entendimento, meu receio de me tornar Benjamim Zambraia.

Pode ser que depois eu me reconcilie contigo. Mas, no momento presente, a pressa me desafia e não desejo afrontá-la.

Quero apenas os momentos que me pertencem — todos eles — inteiros, sugados até o fim. Sem pulsações apressadas que me indiquem que é hora de partir.

Quero ser dona da minha hora, senhora dos meus minutos, consciente das minhas pausas.

E só então, pronta para o desfecho, poderei olhar satisfeita para a existência projetada do começo ao fim e constatar: fui, vi e vivi. Realizada e feliz.

Apesar do tempo, nesse tempo... Fim.

MUDANÇAS

Sempre achei que transferir o título de eleitor fosse a grande conclusão de um projeto de mudança. Semelhante a conseguir se desfazer do guarda-roupa na casa dos pais (que continuam a morar no interior enquanto você se mudou para a capital), transferir o título de eleitor é admitir que não há mais volta, o adeus foi consolidado, não existe possibilidade de retorno.

Morando há anos em Campinas, meu título continuava atrelado ao sul de Minas, e era sempre uma ótima desculpa para uma viagenzinha de dois dias ao interior, à casa de meus pais.

Mas nem sempre — quase nunca — nossos planos são definitivos. Brisas leves ou ventos súbitos podem mudar nossas órbitas num piscar de olhos. Pensando que controlamos nossos pontos cardeais com a precisão de bússolas competentes, desconhecemos a força e o empenho do acaso.

E, como guarda-chuvas que se dobram a grandes tempestades, quebrando a armação e revirando o tecido do avesso, sempre é tempo de descobrir que somos mutáveis também. Que muito além do novo corte de cabelo que denuncia grandes mudanças na vida (quem nunca?), acatar o inesperado ao desejar boas-vindas ao novo é sinal de sabedoria.

Transferir o título de eleitor é o aprendizado de aceitar o fim de um tempo e o começo de outro. Quem me ensinou isso foi dona Clau, minha mãe. A senhorinha, muito mais que mudar o corte de cabelo, abriu as portas para a novidade em sua vida com o vigor de uma jovenzinha. E me ajudou a aceitar a morte de um tempo também, ao me dar o exemplo de seguir adiante.

Há dois anos, logo após sua definitiva mudança para Campinas, fomos ao cartório, nós duas, pedir a transferência do título. Saímos de lá deixando uma parte de nossas vidas definitivamente para trás.

Com ela aprendi que a reinvenção de nossa história só depende da nossa vontade e coragem para dar o primeiro passo. Lamentar o que aconteceu faz parte — ninguém é de ferro! —, mas daí em diante, quem determina o espaço para a alegria ou tristeza somos nós mesmos. Nós e nossa capacidade de baixar uma receita nova na internet e preparar um lanche da tarde diferente; nós e nossa vontade de ir ao Ceasa comprar mudas de flores e começar um jardim; nós e nossa decisão de nos matricularmos na ginástica, num coral ou numa aula de dança de salão; nós e nosso empenho de frequentar um curso de bordado ou fotografia; nós e nossa decisão de deixar o passado pra trás e começar do zero outra vez.

Nem tudo é fácil, quase nunca estamos prontos para as medidas mais práticas em relação à vida e à morte. Viver é aprender a conviver com as mudanças que ocorrem com o nosso consentimento ou não, e nos abalam por momentos estreitos ou demorados demais.

Nem sempre estamos na mesma vibração dos acontecimentos que nos rodeiam, e pode demorar algum tempo até que percebamos que estamos no fim de uma história e no começo de outra. Mudar o corte de cabelo e transferir o título de eleitor podem ser bons começos e rendem ótimos enredos. Pequenos gestos que nos ensinam que crescer não é simples, e deixar partir é doloroso.

Ainda assim, porém, são movimentos que nos fazem caminhar adiante, pois é assim que os relógios giram, as noites acontecem e o sol nasce todas as manhãs...

FEITOS DE SILÊNCIOS E SONS

Outro dia, saindo de um consultório odontológico, veio a pergunta: "Mamãe: na parede do dentista tinha um adesivo escrito 'Dentista do Bem'. Quer dizer que existe Dentista do Mal?".

Bom... depois de achar graça do meu rapazinho, expliquei que se tratava da ONG "Dentista do Bem", e segui meu caminho pensando nos seres complexos que somos, no bem e mal que carregamos, na luz e escuridão que abrigamos.

Pode ser muito tênue a linha que separa o amor do ódio, a gratidão do descaso, a solidariedade do egoísmo, o enaltecimento da inveja. Carregamos bem e mal, mel e fel, lobo e cordeiro. Somos bombeiros e incendiários — muitas vezes causando incêndios dentro de nós mesmos.

Tem uma frase linda do Paulo Leminski que diz: "Isso de querer ser exatamente aquilo que a gente é ainda vai nos levar além".

Talvez — mais do que simplesmente usar o livre-arbítrio para fazer as escolhas certas — seja fundamental descobrir quem se é de verdade, com todo o céu e inferno que compõe você, com todas as dificuldades e limitações, desejos e proteções, cárceres e voos livres; tentando juntar os pedaços e aceitando as imperfeições, conhecendo aquilo que as circunstâncias não revelam, mas coexistem em nós.

Dentro de mim vivem dois lobos. Me esforço para alimentar o bom e matar de fome o mau, mas nem sempre consigo. Tenho defeitos, dívidas, rachaduras. Sinto raiva, inveja, sou intolerante ao extremo. Mas isso não me torna exatamente má.

Nem sempre afloramos aquilo que de fato somos. Afloramos o que desejamos, o que as circunstâncias determinam; ao mesmo tempo, somos vistos como projeções daquilo que desejam ver. O engraçado é que, às vezes, acreditamos nos papéis que representamos. Só lá na frente, conhecedores de nosso mistério e frequentadores de anos de divã, percebemos que não éramos tão medrosos, tímidos, culpados ou mesmo tão apaixonantes.

É impressionante a quantidade de culpa que acumulamos. E como somos capazes de nos punir, boicotando a própria felicidade em nome dessa culpa.

É mais fácil escolher ser o bombeiro, e apontar o dedo para o incendiário — o que mata, fere, queima.

Esquecemos que tanto um como o outro estão perto do fogo. Os mesmos olhos que têm piedade são capazes de julgar; o mesmo coração que ama destrói relacionamentos por ciúmes; a mesma consciência que perdoa não aceita o diferente. Como na letra de "Flores do mal": "A mesma mão que acaricia, fere e sai furtiva".

Como peças de xadrez, temos possibilidades, movimentos, chances, xeques. Mas tudo isso são escolhas — aquilo que se denomina "livre-arbítrio". Só por meio dele crescemos, aprimoramos, nos tornamos pessoas melhores.

De nada adianta um uniforme de soldado de chumbo ou de princesa imaculada se você não faz escolhas que favoreçam o maior número de pessoas. Se não consegue ser gentil consigo mesmo, se não aceita o que é colocado no seu caminho, se não mergulha bem fundo no seu mistério e se pergunta o que o assusta tanto.

Descubra-se pelo menos uma vez na vida, não tenha medo do que irá encontrar lá no fundo. Não somos cem por cento belos, nossa casca não é feita de verniz, nosso interior abriga mais frustrações do que podemos supor. Mas nem por isso precisamos de classificações.

Pois o bonito da vida é perceber que somos feitos de silêncios e sons, e entender, além disso tudo, o quanto somos amados — e quanto ainda somos capazes de amar.

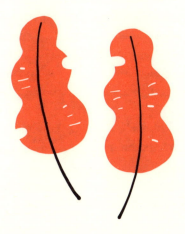

A ARIDEZ DOS DIAS COMUNS

Alguns dias despertam mais áridos que outros.

Você acorda e nenhuma peça se encaixa, nenhuma roupa tem bom caimento, o cabelo mudou de humor, o espelho traz um reflexo ruim.

A névoa das horas toma conta por alguns dias estranhos, mas a gente sabe que vai passar. Se não é depressão — doença séria que se trata com medicação — isso faz parte do ser humano, de se sentir vivo, de absorver energias ao nosso redor, de sentir empatia, de estar alinhado a outras consciências, nem sempre conscientes de si.

Nem todo dia promete, nem toda espera tem o seu desfecho, nem tudo se aperfeiçoa dentro da gente.

Tem dias que você tem que se deixar pra lá, se relevar, esquecer de tentar ser o mesmo.

Dias áridos acontecem o tempo todo, para qualquer um — até para quem não sofre de alterações hormonais nem carregam bipolaridades.

São saudades vazias que voltam para assolar o peito, desejos insatisfeitos, falta de sentido diante do trivial, percepção do mundo por lentes desfocadas, ausência de fome para o novo.

Nesses dias tão estranhos não adianta insistir. Nem tentar manter a rotina de antes (você estará diferente por alguns dias, apenas tolere).

Mude o trajeto, inove na frente do espelho, recolha sua decepção diante daquilo que não vingou (nem todo projeto se concretiza), saia da dieta, não faça restrições ao chocolate ou a um bom vinho, assista a um DVD diferente. Esqueça diagnósticos sombrios — você é como todo mundo, e dias assim acontecem a todo momento (se durar mais que uma semana, procure ajuda).

Porque chega uma hora em que as janelas querem ser novamente escancaradas, o sol deseja queimar a pele de um jeito novo e o tédio dá lugar à esperança.

E, ainda assim, são ciclos. E, por mais cansativo que seja, você não está livre de uma hora qualquer voltar a habitar o árido que há em você.

Porém, ao entender que ele existe e que não pode ser negado — apenas enfrentado — você conseguirá aceitar melhor os momentos e a si mesmo.

Infelizmente, forçamos demais a barra para sair do acinzentado dos dias. Só nos permitimos navegar em águas límpidas e remamos desesperados para longe do rio turvo que de vez em quando vem se juntar ao nosso mar. Esquecemos que a existência não é linear. Ao contrário, de vez em quando nossos remos pesam e nossas braçadas ficam mais difíceis. Mas chega uma hora em que, do mesmo jeito que as peças se desalinham, elas também se reorganizam. E naquele mesmo lugar onde só havia inadequação, começamos a enxergar beleza e verdade. Sem explicação. Sem questão hormonal que explique o peso e a leveza que se intercalam em nossos caminhos ou esquinas.

AVIÕES DE PAPEL

Minha casa foi invadida por aviões de papel. Na mesa da sala, nos degraus da escada, no quarto de brincar e de dormir... os modelos, dos mais variados tipos e potências, aterrizaram em nossos passos e espaços.

Meu menino, que também adora TV e videogame, anda descobrindo o prazer da simplicidade.

O tempo passa e permanecem as coisas mais simples. Como o peão que rodopia e traz para perto do filho a infância dos pais, a simplicidade ensina que a eternidade mora nos detalhes; na cauda do avião de papel milimetricamente ajeitada pelo avô e na mancha de farinha que colore o colo da mãe.

Simplicidade de presença sentida e ausência sofrida, pés no chão e olhos atentos, vontade e verdade — intercaladas e misturadas — trazendo a noção de que ser simples é estar inteiro.

Não necessita retoque, glamour, etiqueta. Não exige aprovação, só adivinhação. Desapegado se faz do consentimento alheio, dos comentários digitais, dos olhares de recriminação.

A simplicidade gosta de rascunhos sinceros, poeira varrida pelo vento, fotos desbotadas pelo tempo, verdade escrita pela caligrafia da honesta presença e sinceridade ilesa de retoques corretivos.

Os aviões de papel mostram que nem tudo que parece perfeito será sempre melhor. Que a imperfeição e a escassez de luxo podem ser reconfortantes e causar saudades permanentes.

Que nos momentos em que a madeira lasca; a água é escassa, e o feijão e café, mais ralos; a lembrança se torna mais aguda, e, apesar de toda ranhura, mais bonita.

Muita história de amor foi construída sob um teto de dificuldades, estante da sala de caixotes de feira, paredes caiadas de tinta diluída, café da manhã com pão amanhecido. E arrisco acreditar que as adversidades tenham feito o amor mais forte, mesmo sendo simples.

Pode demorar algum tempo para percebermos que a simplicidade carrega dádivas. Que um aviãozinho de papel num dia de vento pode ser mais prazeroso que um quarto cheio de brinquedos. Que caminhar sem preocupação por uma paisagem exuberante traz mais resultados pra saúde que correr doze quilômetros em uma hora de esteira na academia; que um bolo simples, sem recheio ou cobertura, saído do forno acompanhado de café quentinho é mais gostoso que a torta holandesa da confeitaria; que o rosto recém-lavado, saído do banho, pode ser mais sexy que o olho preto com cílios postiços e delineador fatal; que um elogio sincero e inesperado levanta mais a relação que o presente obrigatório no dia especial; que a presença verdadeira — sem relógio, celular ou plano de fuga — junto aos filhos traz saldos muito mais positivos à infância que qualquer tablet repleto de aplicativos.

Meu filho continua a inventar modelos de aviões de papel. Ao pesquisar na internet ou ao receber a ajuda do porteiro do condomínio (um exímio construtor de aviões), vai aprendendo que qualquer folha bem dobrada pode modificar um fim de tarde comum. E eu sigo como observadora de sua corrida atrás desses aviões, percebendo que a vida pode sim, ser mais simples se a gente quiser... e permitir.

ILHA DA MADEIRA

Francisco Azevedo, em *O arroz de Palma*, conta a história de uma família cheia de virtudes e defeitos, tradições e saudades. Lá pelas tantas, Antonio, o personagem principal, se depara com os guardanapos que seriam usados no almoço de família. A cena é memorável: o velho Antonio segura aqueles pedaços de pano e lembra de uma vida inteira. Saudoso, diz: "Como é que simples guardanapos são capazes de trazer tanta recordação?". E continua: "Porque fizeram história. Festejavam a vida e pronto. A data, religiosa ou pagã, era pretexto. Podia ser Páscoa ou Carnaval. Esses guardanapos têm alma. Aliás, todo ser inanimado passa a ter alma no momento em que se lhe imprime afeto. As coisas também aspiram a uma existência sensível".

Assim é. Cada família tem sua história, e nessa história qualquer objeto simples ou trivial pode se tornar uma relíquia por ter guardado uma memória, e é isso o que torna qualquer coisa especial.

Outro dia, no trânsito, parada no sinal, divaguei diante da placa do carro à minha frente. O número era 2774. Me fez lembrar do nosso primeiro telefone, o 2774 da rua Conquibus, número 58, no sul de Minas. A partir daí, meu pensamento voou para aquela casa, para a mesinha onde ficava o telefone (com fio!), para a lembrança da preguiça que se apoderava de mim e meus irmãos quando tocava ("Eu não atendo!", "Eu disse primeiro", "Da última vez fui eu!"), e para tanta coisa capaz de caber em quatro simples números — uma relíquia.

Então, essa semana recebi um presente.

E presente é um troço difícil. Dependendo do que é, pode gerar mais confusão que gratidão (pensei agora numa anedota de família, em que o primeiro sutiã foi dado a uma mocinha e, em vez de agradar, provocou náuseas, pois a menina não estava preparada para crescer ainda). Assim, o que quero dizer é que dependendo do presente — da relíquia — pode haver mais desconforto que agradecimento, e é preciso cuidado…

O fato é que em certos lugares não se deve levar pai e mãe. Cama é uma delas — talvez a principal. Então fica vetada a doação de roupas de cama (usadas por nós) aos nossos filhos. Mesmo que seja uma relíquia — bordada à mão, com trezentos mil fios por polegada e caimento perfeito — ali reside uma história. E herdar essa história na forma de um lençol tem seu ônus também. Mas isso vai de cada um. Eu particularmente herdei uma sensibilidade aguçada de algum ancestral desajustado, e isso me põe em maus lençóis (literalmente!) de vez em quando.

Porém, ainda assim, desejo herdar aquele lençol. Como peça afetiva que não é usada pensando na utilidade, mas guardada com amor.

Talvez um dia, quem sabe, receba o presente novamente. Uma relíquia que lembra mãe e filha sentadas na cama, naquela casa da rua Conquibus, a do 2774, eu muito menina ouvindo-a contar sobre o bordado da Ilha da Madeira. Isso me dá saudade. Da nossa intimidade. Da menina atenta que fui e que sempre a admirou. Lembrar dessa conversa, que acontecia de tempos em tempos (ela sempre se esquecia que já havia me mostrado o bordado e contado sobre as bordadeiras da Ilha da Madeira: "Uma ilha, lá em Portugal..."), é trazer alento aos meus dias e apaziguar minhas inquietações.

Ontem aconteceu de novo: "O lençol de linho, bordado pelas bordadeiras da Ilha da Madeira, uma ilha lá em Portugal... agora é seu". Confesso que fiquei surpresa. Não pelo presente, que é simples, delicado e bonito, mas pela orientação de que a partir de agora deveria usá-lo seriamente, como roupa de cama, para cobrir e vigiar meu sono. Me pegou desprevenida, não se pode misturar as coisas, e eu tenho a memória muito boa e viajante, ela vai tanto para nossas conversas sobre o bordado ("Olha o avesso, é perfeito..."), como ao fato de que foi testemunha do amor de meus pais.

É por isso que devemos ser cuidadosos com as relíquias. Elas carregam histórias, cheiros, tato, paladares e visões. Foram testemunhas da dor, do amor, da alegria e da tristeza, e eu prefiro guardar somente o que convém: nossa intimidade numa casa só de homens (exceto por nós duas), as conversas acerca de tantos assuntos femininos, as mudanças que estariam por vir e a felicidade verdadeira de compartilhar instantes perfeitos.

Nunca fui à Ilha da Madeira, "uma ilha de Portugal...", mas a carrego dentro de mim. Na voz pausada de mamãe, que falava com aquele tom solene de quem deseja compartilhar algo valioso e me mostrava o avesso do bordado — "sem nenhum errinho..." —, me fazendo imaginar aquelas bordadeiras portuguesas caprichando no tecido.

Sua riqueza sempre foi esta: o tempo disponível e a capacidade que ela tinha de estar ao meu lado, calma e amorosa, mesmo nos piores momentos.

Então, sim, eu valorizo o enxoval, não pela utilidade — cobrir a cama, acariciar quem dorme —, mas sim como recordação de um tempo bom, numa casa cujo telefone era 2774 e tinha um lençol de cor amarela com o bordado azul perfeito... feito pelas bordadeiras da Ilha da Madeira.

SOMOS TÃO JOVENS

No cinema, assisti a *Somos Tão Jovens*, filme sobre a adolescência de Renato Russo, numa fase antes da Legião Urbana.

Sou suspeita para comentar porque Legião sempre me emociona, e quando penso que não há mais como me surpreender, saio do cinema com a maquiagem borrada de tanto chorar.

Quando as luzes se acenderam, torci pela continuação do filme. E fui para casa inquieta, como a gente fica quando algo de fora consegue mexer de verdade com alguma coisa aqui dentro.

É difícil lembrar em qual momento uma canção nos emociona a ponto de amolecermos por completo. Talvez isso só aconteça uma vez na vida — quando ainda somos muito jovens — e por isso Renato Russo permaneça eterno.

A poesia de Renato era perturbadora, carregada de ideais. Um ideal de mudar o mundo com canções que falavam de amor, igualdade, perfeição.

Somos movidos pelo que a música — ou as artes, um bom livro, um bom filme — desperta em nós. Pela emoção que ainda é possível sentir diante daquilo que nos comove, ou cala sem explicações. Por algo sem nome que nos deixa à flor da pele ou é capaz de encaixar as peças em nosso interior, de uma maneira inexplicável.

Foi no escuro do cinema, vendo a imagem do ator se fundir à imagem do cantor, que meu coração bateu forte e, de repente, tudo fez sentido. Como se não houvesse passado nem presente, tudo fosse uma coisa só.

Uma música, um amor, um filme, uma prece, um pôr do sol. Tudo são bênçãos, oportunidades de você se reconectar e encontrar motivos para ser feliz. Sem saudades, sem melancolia. De um jeito que te dá forças para continuar escolhendo, seguindo em frente, deixando pra trás.

Sou grata a Renato Russo por preencher minha adolescência com letras inteligentes e belas, que comovem até hoje.

E espero que muitos meninos e meninas das gerações vindouras ainda se encantem com suas letras. Numa época em que qualquer letra de funk vira manchete e sucesso no YouTube ou redes sociais, Renato Russo permanece imortal ao entoar melodias que nos fazem refletir e nos identificar. E o filme nos toca ao lembrar uma geração que, apesar de tudo, ainda era capaz de transformar o pensamento por meio da sensibilidade e emoção.

Comigo voltou a acontecer sábado, dentro do cinema. E fiquei grata por perceber que "ainda sei sentir".

E que "ainda é cedo" e sou capaz de me emocionar verdadeiramente.

PARTE III
FUNDO DE GAVETA

O TEMPO TRAZ A PODA

A poda é necessária para a planta se fortalecer e equilibrar — o luto ensina e amadurece.

Ensina que existe tempo para tudo, e que alguns ramos irão se soltar durante a vida, modificando o vigor da espécie.

Ensina que os mais fortes são os que se adaptam — justamente como dizia Darwin.

Ensina que alguns galhos são desnecessários, ainda que não haja essa compreensão no momento.

Ensina a modificarmos nossa tendência de produzir mais folhagem que frutos — a buscarmos novas alternativas, ter coragem, humildade.

Enquanto tivermos sorte, permanecermos jovens, belos e bem-nascidos, o acaso nos protegerá; mas permaneceremos mais selvagens — folhagem e vegetação.

E não descobriremos quem realmente somos.

O tempo traz a poda. E a cada tesourada descobrimos que algumas feridas nunca se curam, e você terá que se ajustar a uma forma de vida completamente nova.

Mesmo que seu coração tenha sido quebrado em mil pedaços, uma hora você perceberá que é capaz de amar de novo, e, se tiver sorte, amará melhor.

Já perdi amigos, me separei de pessoas insubstituíveis, sofri decepções absurdas, descobri que ninguém é perfeito. Fui feliz, me atirei de cabeça, confiei demais, me frustrei na mesma proporção, tive dúvidas, morri de arrependimento.

Fui podada pela vida, aparada em minhas arestas, corrigida em minhas estruturas. Descobri novos arranjos, me equilibrei com as perdas e decepções, formulei novos caminhos. Aprendi que continuamente sofremos um processo de renovação natural — como as plantas. Faz parte da vida, do processo de nos tornarmos melhores com o tempo, extraindo os ramos ruins e mantendo os bons.

Aprendendo a perdoar, a pedir perdão; a entender que o tempo leva pessoas especiais e deixa algumas nem tão perfeitas assim; que o coração é capaz de amar de novo, mas antes deve se permitir chorar e enterrar o amor antigo bem fundo para que ele não ressuscite de tempos em tempos; aprendendo a valorizar o presente, a entender que tudo é passageiro, os bons e maus momentos; aprendendo que algumas pessoas simplesmente não percebem o mundo como você, e que isso não as torna mais cruéis. Aprendendo a ter compaixão, a separar seus medos antigos dos atuais.

O tempo molda as pessoas de formas diferentes, e algumas endurecerão ainda mais com o passar dos anos. Nem todo mundo aprende, não importa quantos tombos leve. E você não pode basear sua vida por essas pessoas.

A vida é muito curta e o roteiro só depende de você. É assim que se mantém vivo. Decidindo ser melhor a cada dia, se permitindo chorar, se autorizando a ter raiva, se justificando por estar sem forças. Mas, ainda assim, acreditando que uma hora, de uma maneira que parecia impossível, você não se sentirá assim. Não vai doer tanto...

SE...

Teria acontecido. Se não fosse por sua insegurança, pela mania de duvidar de si mesmo, daria certo.

Bastava ter pedido. Simplesmente ter se arriscado. Um "não" seria o pior que te aconteceria, mas o "sim" mudaria sua vida.

Por que não tentou? Por que deixou o medo ser maior que sua vocação para a felicidade?

Quantas vezes deixamos oportunidades passarem, amores atravessarem a porta de saída, sonhos serem arquivados só porque fomos incapazes de dominar o medo.

O medo que paralisa, limita, congela as suspeitas, eterniza as dúvidas. O medo que nos diminui, desmerece, encarcera... torna pessoas comuns "muita areia para nosso caminhão".

E um dia — tarde demais — descobrimos que tínhamos as chaves. Que muitas portas estariam abertas se tivéssemos tentado.

Bastava coragem — e não haveria um "se"...

Gosto muito do filme *Divã*, baseado na obra de Martha Medeiros; em especial da parte em que a personagem Mercedes pergunta ao seu analista: "E se eu lhe disser que estou com medo de ser feliz para sempre?". Porque, no final das contas, é assim que vivemos: constantemente boicotando a felicidade com preconceitos e suposições.

Cheios de "mania de perfeição", colecionamos fragilidades e distorcemos nossas possibilidades com autocrítica, remorso e culpa.

Muitas vezes preferimos prestar tributo ao sofrimento a acreditar nos dons que carregamos, na alegria que existe — ainda que camuflada — dentro de nós.

Num mundo legitimado por egos inflados e distorções da verdadeira autoestima, reconhecer-se merecedor, capaz e digno é admitir-se irrestrito.

É aceitar a igualdade — a irrefutável verdade que ninguém é tão especial ou tão banal.

É entender que ninguém é "muita areia pro caminhão" de ninguém; compreender que com esforço, empenho e fé somos igualmente capazes de cruzar a linha de chegada. E então relaxar, porque finalmente aprendemos a confiar no nosso taco.

Não precisaríamos perder tanto tempo se soubéssemos que temos as chaves tanto quanto aquele nosso vizinho importante e sortudo. Porém, muitas vezes preferimos deixá-las esquecidas, negligenciadas dentro de uma gaveta, abandonadas à própria sorte.

Porque no fundo há o medo: de avançar e cair. De chegar e se arrepender. De evoluir e não estar pronto. De querer e não obter.

Então nem ousamos o primeiro passo — como se o erro fosse o fim.

Mas nos esquecemos de que o erro é apenas o começo. O início.

É o que nos faz ir mais longe, além da dúvida, além de nossas fragilidades... Além de nós mesmos.

A IGNORÂNCIA É UMA BÊNÇÃO

Outro dia, ouvi a seguinte frase numa série: "A ignorância é uma bênção". E parei para pensar nisso. Pois há um momento, antes da tempestade chegar, em que ainda é possível desfrutar a inocência de não saber. O doce sabor de ignorar todo caos que se aproxima.

Antes da meia-noite, antes do pior diagnóstico, antes de conhecer a verdade, antes de ter que lidar com todas as consequências. Você ainda não sabe, mas nuvens estão se formando acima de sua cabeça enquanto simplesmente as ignora.

A ignorância é uma gaveta fechada cuja chave não possuímos. E determina um período em que você tem que dar graças por estar vivo, em segurança, de alguma forma feliz e em paz. Enquanto não possui as chaves, não precisa lidar com o que tem dentro.

Toda família tem seus segredos. E, no decorrer da vida, descobrimos alguns que talvez preferíssemos ignorar. É necessário coragem para lidar com a nova realidade — o que é no lugar do que era —, apesar do desejo de mantê-la guardada, bem fechadinha, num criado-mudo (e surdo).

Todo mundo sabe o quão difícil é botar ordem nas gavetas. E nos acomodamos como observadores de nossa vida, adiando o momento de agir.

Aquilo que você adia diz muito sobre você. Gavetas transbordando de caos também.

Porque preferimos ignorar certas verdades, realidades, acontecimentos, fatos. Não correr o risco de encará-las. Esperar (não sei o quê) para depois ter tempo.

A verdade liberta e aprisiona. Aprisiona porque nos obriga a encarar a realidade. E a realidade pode ser uma gaveta cheia de tranqueiras, papéis amassados, escritos apagados, lingeries para lavar, roupas que há muito não servem mais, retalhos de um tempo que se esgotou.

Adiamos nossas arrumações interiores porque é mais fácil ignorar nossas falhas e desordens, nossa inabilidade de lidar com o que quer que seja.

Conheço gente hábil em arrumações externas e pouco aptas para arranjos internos. Estão abarrotados de velhos sentimentos, medos antigos, amores expirados.

Vivem reciclando contratos com a dor, com a desilusão, com normas primitivas que estabeleceram para si. Não reveem suas leis, não permitem novos voos.

Não dão espaço para que o novo se acomode. É preciso criá-los...

Com chaves em mãos, não dá para adiar a faxina, empurrar de volta e fazer caber tudo que já não serve mais. É hora de assumir, revelar nossas verdades, tomar o que é nosso e fazer daquilo que é, o melhor que pudermos.

Somos coautores da vida que nos pertence, com todas as boas e más notícias.

Com sorte, aprendemos a mergulhar. A reparar nossos erros. A levantar depois do tombo. A subir à superfície para respirar. A encontrar novos jeitos de sobreviver.

A ignorância é uma bênção, mas a verdade sempre nos alcança.

Independentemente da maneira como você deseja que seja, a existência se encarregará de lhe entregar as chaves. E invariavelmente terá que usá-las — quer queira ou não.

E, assim, assumir sua vida. Sua vida e ponto-final.

A PARTÍCULA DE DEUS

Há algum tempo, assisti a uma entrevista com Marcelo Gleiser, físico e astrônomo, entre outras atribuições. Naquele dia, ele falou de física, filosofia e fé. Explicou sobre a "partícula de deus" — em minúsculo — e me encantou ao mencionar uma disciplina que frequentava nos Estados Unidos: "Física para poetas".

Me tornei fã. Pois não é todo dia que a gente se depara com um grande cientista que — a despeito de ser conhecedor de matemática, física, matéria, massa, partículas, teoria da relatividade, "átomo primordial", "vácuo quântico" etc. — admite que algumas coisas só se explicam à luz da fé.

A fé que nos faz crer no invisível — e nem por isso inexistente. A fé que nos conduz a um estado de paz mesmo quando tudo desmorona e explica a coragem de seguir em frente quando toda explicação falha. A fé que justifica e valida o inexplicável, que traduz o intraduzível.

Infelizmente, não é possível obter em pesquisas científicas a partícula fé.

Fé é não saber, e, mesmo assim, crer.

Crer na imprevisibilidade da vida, que tece um ponto aqui e arremata lá na frente.

Crer no encontro, na inexplicável certeza de que alguns caminhos tinham que se cruzar — para o bem ou para o nosso crescimento.

Crer mesmo não enxergando... confiar e acreditar na estrada mesmo quando a neblina encobre todo o caminho.

Crer que o fato de estar no lugar certo, na hora exata, pode ser chamado de "sorte", mas não deixa de ser providência.

Acreditar que coincidências podem ser eventos aleatórios que nos conduzem a um propósito.

Não entendo nada de física, mas a ciência me maravilha com suas certezas, dando nome a fenômenos naturais, amparando dúvidas com comprovações, ensinando que a matéria não é tão sólida, que somos feitos de átomos — prótons, nêutrons e elétrons em vibração. Somos energia, estamos em constante movimento e irradiamos calor, sensações.

Captamos fluxos, agitamos outras matérias, organizamos e desorganizamos nosso equilíbrio.

E isso nos dá a certeza de que podemos sentir uns aos outros. E sentir pode ser muitas outras coisas além do que só é visto e tocado.

É estar em harmonia com o que acontece, deixando a maré conduzir nosso barquinho em vez de tentar remar para o lado contrário.

É aceitar os reveses como parte do fluxo natural, não como acidentes de percurso.

É entender as pessoas além do que elas dizem, agem ou omitem; permanecendo "no fundo de cada vontade encoberta", como canta Caetano em "Força Estranha".

É conectar-se consigo mesmo — independentemente de dogmas, julgamentos, egos e leis — buscando em si as respostas, descobrindo que você é, e abriga, a partícula divina.

A ciência nos coloca de volta às origens, ao que é natural, onde tudo começou.

E nos ajuda a nos reconhecermos pequenos, partículas de Deus — assim, com letra maiúscula.

VIDA É PROVA

Todo ano, perto do Natal, as crianças começam a questionar suas crenças: "Papai Noel existe mesmo?", "não é só fantasia e barba de algodão?", e por aí vai, até que na noite de Natal finalmente a ficha cai para alguns, que percebem, com uma pontada de decepção, que suas suspeitas se confirmaram: ele nunca existiu.

A dor do crescimento começa aí.

Então você cresce, amadurece, e aprende — a duras penas — que o mundo não é feito de açúcar, que os adultos nem sempre detêm a verdade (quase nunca), que algumas coisas não saem do jeito que a gente quer.

Mas a dor do crescimento surge mesmo quando você descobre que algo em que acreditava deixou de existir. É assustador ter que reformular tudo aquilo que te constituía e não constitui mais.

Temos que estar dispostos a abrir mão de nossas crenças, de nossos planos tão reais, palpáveis, terrenos... para acreditar numa nova realidade.

E vamos descobrindo que nada é tão real, palpável ou terreno. Que tudo pode mudar num piscar de olhos, enquanto nos apegamos ao que é conhecido.

Percebemos que vivemos, mas não pertencemos. Amamos, mas não controlamos. Temos fé no invisível, mas nunca estamos prontos.

Quanto mais aceitarmos o que *é* — no lugar do que pensávamos que era — mais fácil superamos, e descobrimos nosso lugar.

A vida é prova. E as questões são específicas para seu aprimoramento.

Suas dores e decepções, seus reveses, desvios e sustos fazem parte do pacote.

Errar faz parte; deixar em branco anula quem você pode vir a ser.

ORDEM NA CASA

Você é uma pessoa boa. Do tipo que se esforça para agradar todo mundo, releva deslizes alheios, se culpa quando comete os próprios deslizes, elogia, consola, dá conselhos. Tem autocontrole e engole sapos. Como boa menina, aprendeu que não é legítimo sentir raiva e, de tanto reprimi-la, vive com a barriga estufada e o intestino preso.

Você não percebe, mas quem te comanda é um gigante, um SuperGigante. Um tirano que te olha de cima, aponta o dedo, não aceita notas baixas.

Ele te faz de refém, te mantém em cativeiro, e você se submete a isso. Permite que ele dê as cartas porque tem medo. Medo de ser excluída, ser alvo de críticas e desamor.

Mas chega uma hora em que tem que pôr ordem na casa. Pois, por trás de toda docilidade e condescendência, também existe uma fera.

Uma fera que não quer acatar as ordens do Gigante e deseja mostrar sua autenticidade, seus gostos, seus acertos e desacertos.

Uma fera que deseja revelar que não é perfeita, que não tem que provar nada a ninguém, que quer ser amada mesmo que fuja do combinado; que é capaz de falar alto, de impor limites, de se proteger.

A fera é seu lado mais irreverente, transgressor, autêntico. E às vezes você precisa escutá-la. Às vezes tem que abrir a jaula e deixá-la sair.

Porque ninguém é de ferro.

E você tem que aprender a se aceitar.

A entender que a culpa te paralisa e não permite que você seja quem é. Simplesmente quem é...

Mas quem te faz se sentir culpada? Quem aponta o dedo para você? Seus fantasmas, seu passado, sua educação rígida?

Ou você mesma? O Super que há em você?

Coloque ordem na casa.

Não seja a primeira a se esconder por trás de um véu de justificativas quando o que você quer é assumir que não sabe cozinhar, que se apavora quando tem que dirigir, que está cansada para ir à balada, estressada com as visitas em casa, que prefere recusar um convite "irrecusável", que não dá pra quebrar um galho pro seu irmão hoje, que não pode emprestar uma grana, que não consegue gostar do perfume que ganhou do namorado, que tem medo de expor um deslize do passado.

Nem tudo são imperfeições. E se for, faz parte também.

Você também erra, também se atrasa, também se irrita, também tem vontade de mandar tudo praquele lugar. E nem por isso será menos digna. Nem por isso terá menos amor.

Só por isso será mais feliz. Só por isso será mais leve. Por dentro e por fora.

VIDA EM COMPOTAS

Quantas vidas cabem numa única existência? Tenho me perguntado isso nos últimos anos, quando comecei a perceber as guinadas que a soma dos dias dá; as viradas de página que o tempo permeia.

Outro dia li uma entrevista com Maitena Burundarena, escritora argentina, que dizia que estava em sua quarta ou quinta vida, pois já tinha passado por tantas experiências transformadoras, que considerava estar vivendo vidas e mais vidas.

Daí me dei conta de que é isso mesmo. Que "etapa de vida" é um termo simples demais para definir o quanto a VIDA pode mudar.

Assim, divagando um tantinho mais, fico imaginando a existência toda como um panelão de geleia que a cozinheira apura e divide em compotas: uma, duas... dez, doze... e vamos vivendo cada compotinha — cada qual com seu sabor — para no final termos vivido o caldeirão todo.

Sendo assim, a compota de hoje não terá o mesmo sabor da primeira ou segunda; do mesmo modo que o sabor atual não será igual ao último. Também não dá para misturar, querer um tantinho da que já experimentei na que acabei de começar... isso azeda, amarga, tira a pureza! Cada potinho é singular: não deve ser embaralhado com saudade ou ansiedade.

Gostei disso. Porque a gente se afoba demais. Vai colocando a colher na boca e dizendo de cara que não gosta, que preferia a anterior. Não dá nem tempo de acostumar o olfato, o paladar... pensa logo que não aprecia e pronto, faz azedar de birra.

Nãooooo... Calmaaaaa... Dê tempo de esfriar, de passar no pão com delicadeza, de separar o sabor doce que está lá no fundo... Porque bem lá no fundo, se você souber esperar e sentir, vai reconhecer a essência daquilo que te traz paz, as notas do que te faz feliz. O problema é que a gente é afobado mesmo, quer tudo pra ontem. E recusa o pote sem experimentar tudo. Tudo mesmo. E fica imaginando que lá na frente vai ter mais requinte. R.e.q.u.i.n.t.e... Que é que vale isso? Se não aprender a degustar tudo certinho, com paciência e aceitação, não há requinte no mundo que te baste, minha amiga...

O que conta são as experiências interiores, muito mais que as exteriores. Tem muito idoso no segundo pote (cheio de *requinte*) e muita criança de dez anos — felizinha — na quinta compotinha (de sabedoria).

Infelizmente, tem hora que a gente tem que tapar o nariz e engolir na marra. Fazer o que, se não há remédio? Haverá dias em que preferiríamos morrer de fome. Isso é capricho, ninguém te obrigou a enfiar goela abaixo o pote todo.

É aos poucos que a gente prova e aprende. É aos poucos que vai dando certo, ficando melhor, mais degustável...

Entendeu?

Quanto a mim, penso que estou no quinto ou sexto pote.

Tive uma infância rica. Queria ser artista. Era uma mistura de atriz, bailarina de circo, jornalista e escritora. Sonhava acordada e criava histórias — no papel e na cabeça — esperando os primos (coitados!) chegarem nas férias para iniciarmos os ensaios. Enfim, era uma sonhadora... A compota foi doce.

Por volta dos doze anos experimentei sabores agridoces; mais ácidos, mais amargos. Foi bom (para evoluir), embora naquele momento não tivesse consciência disso (nunca temos).

Depois tive sorte. Sabe gosto de sonho? De apreciar de olhos fechados? Os quatro anos de faculdade foram assim. Uma surpresa cheia de sabores novos, especiais, leves, deliciosos.

Daí veio a formatura e, ao contrário da anterior, abri um pote de gosto seco, áspero, oco. Foi o começo da vida adulta, o fim das farras, o início profissional numa cidade nova, com mais asfalto e menos afeto.

Mas é claro que vieram dias melhores. E o que era árido se tornou manteiga. Foi o tempo de me casar, viajar, ter filho. O sabor familiar veio trazer alento ao meu paladar. De textura macia, temperatura morna e gosto conhecido, reconheci meu lugar. Não há nada no mundo que conforte mais a alma do que se sentir em casa.

Hoje, de vez em quando sinto meu mundo de manteiga azedar. Faz parte. Mudam-se as referências, me despeço de lugares importantes, sinto medo, desesperança, aflição como todo mundo. Como criança mimada, recuso algumas colheradas e não cresço como gostaria. Prefiro o que é conhecido, a temperatura morna, o conforto do que é familiar.

Sei, porém, que não será sempre assim. O ciclo da vida impõe despedidas, mudanças drásticas, evolução. Há de existir outros potes esperando por mim; e temo que seus sabores não sejam tão fáceis, macios ou confortáveis. Mas quando provar, desejo ter paciência de esperar. De reconhecer lá no fundo o sabor conhecido, ou mais doce que puder ser.

Porque ele (Ele) estará lá. Só é preciso ter fé, acreditar... e não ter medo de experimentar.

LIBERDADE E FÉRIAS

Ainda de férias, escrevo da areia da praia, olhando para o mar do Recife, onde meu filho e meu marido se divertem pulando ondas enquanto ensaio um mergulho, mas me arrisco só até onde a água toca minha cintura, pois o frio que chega em ondas esparramadas e dispersas me paralisa.

Com vontade de mergulhar, mas sentindo as pernas arrepiarem com o vento que chega, volto para a canga e me pergunto: que frio é esse que me impede de viver por inteiro?

Observo meu filho e escuto ao longe sua risada barulhenta, vejo os bracinhos abertos onde o clarão do sol brinca, os cabelos molhados de mar, sal e areia. E o que me impede de viver a vida que convida com seus sabores, suas alegrias e seus calores é só o desconforto de um frio passageiro e paralisante...

Por que é tão difícil sairmos de nossas zonas de conforto — que podem nem ser tão confortáveis assim — mesmo sob o sol quente rachando a pele, mesmo sabendo que logo ali à frente há a promessa de mais alegria e menos frio?

Porque ser livre é mérito dos que têm coragem. Uma conquista dos que rompem o vínculo com a culpa e experimentam suas próprias leis — já que a liberdade é almejada, mas também complicada. Difícil como ter o oceano à frente e não saber o que fazer com ele. Acreditar no prazer que existe em estar submerso e ter medo de água fria. Enxergar a beleza, admirar a coragem dos que se arriscam e preferir ficar na areia observando com brandura e pouca bravura.

Esquecemos que somos livres. Preferimos culpar a água gelada, o vento que chega sem avisar, a sombra que surge do nada. Esquecemos que dentro de nós tem sempre um sol que aquece, uma água morninha convidando para um mergulho, uma noite iluminada.

Optamos em ser apenas observadores, sentados em cangas esperando pela vida que acontece de verdade fora de nós. Enquanto isso, sempre haverá meninos de pele bronzeada rindo ao sabor do mar, nos mostrando que perdemos tempo com previsões, limites, juízos e regras inúteis enquanto a vida escapava gentilmente dos nossos dedos, como areia.

Porém, liberdade não é para amadores ou para quem não se conhece. Ao contrário, é coisa de gente séria, que se arrisca com responsabilidade e tem coragem de avançar e de recuar também, de quem percebe a agitação do mar e não vacila com a própria vida. Pois ser livre não tem a ver com se atirar descontroladamente, e, sim, se conhecer, se aprofundar no mistério que habita e entender de si mesmo sem julgar; não apenas surfando na superfície da vida, mas também procurando respostas, encontros, disposições.

É preciso duvidar para depois acreditar. Entender o que se deseja para então desejar. Conhecer o que te completa, te limita, te faz feliz para assim descobrir o caminho. Não seguir o padrão, mas entender seu jeito único de ser. Não invejar os que se agitam no mar quando lá no fundo você não suporta areia e sal. Descobrir que se é livre para ser você mesmo ainda que esteja num relacionamento de anos e não saiba mais quem você é de fato. Entender-se único, capaz, merecedor. Acreditar que sempre é possível recomeçar — nos afetos, nos projetos, nas novas formas de ver a vida — e que podemos ter boas surpresas em qualquer estágio da jornada.

Quanto a mim, ainda não sei lidar direito com a liberdade que existe dentro de mim como eterno verão em tempo de férias. Ainda carrego culpas, limites, nuvens carregadas e por isso hesito tanto antes de cair nos braços do mar. Mas, ainda assim, venço meus julgamentos e o frio calculista, pois sei que na imensidão do oceano sou mais feliz do que permanecendo como mera espectadora sentada na areia. Sem mais pensar, deixo o bloquinho de anotações e desato a correr, pulando ondas, mergulhando de cabeça e gritando: "Tô chegando!!".

LEGO × QUEBRA-CABEÇA

Me recordo de uma carta, no comecinho da faculdade, que uma amiga escreveu ao ex-namorado, dizendo que sua vida era como um enorme quebra-cabeça, e ele era a peça que faltava para tudo ficar perfeito. Éramos bem novinhas, dezessete ou dezoito anos, e naquela época isso fez muito sentido para mim — a ponto de não esquecer o texto da carta até hoje, vinte anos depois.

Mas vinte anos também são suficientes pra gente aprender que a falta é e sempre será permanente. E perceber que comparar a vida com um imenso quebra-cabeça pode ser, no mínimo, perda de energia. Energia para ser feliz e se realizar plenamente com o que possui.

Conviver com a falta faz parte do ser humano; perceber-se sozinho também. Crescer é aprender a conviver com os pedaços que permanecem sem encaixe, com o buraco que todos possuímos, com a escassez de peças que formam esse quebra-cabeça incompleto que é a vida.

Quando entendemos que esse quebra-cabeça é sim um quadro imperfeito, de peças desajustadas e faltantes, de cantos obtusos e bordas incompletas, que poucas vezes refletirá algo que faça sentido, enfim desistimos de desejar o impossível e aprendemos a encontrar as respostas no que é verdadeiro, real e palpável.

Nesse fim de semana prolongado, passando uns dias na casa do meu sogro com a família, mergulhei no universo de *A menina quebrada*, livro de Eliane Brum. Nele, a jornalista se aproxima muito de nós, seus leitores, ao abordar a vida com sensibilidade e desassossego, o desassossego dos inquietos ou daqueles que não se acomodam frente ao óbvio, mas preferem desmontá-lo para enfim remontá-lo com certeza e verdade. Me fisgou no momento certo.

Entre tantas crônicas, duas me fizeram refletir sobre a falta — a que nos habita e a que percebemos naqueles que amamos.

No texto "É possível obrigar um pai a ser pai?", ela abre a discussão a partir do caso Luciane Nunes de Oliveira Souza, indenizada na justiça pelo pai que, segundo a vítima, abandonou-a afetivamente. Lá pelas tantas, Eliane Brum desacomoda — a todos nós, abandonados ou não — ao nos confrontar com o apego que temos ao que nos falta. E, no caso de Luciane, conclui:

> Dificilmente Luciane conseguirá seguir adiante, paralisada como parece estar no mesmo lugar simbólico. [...] Tornar-se adulto, porém, é descobrir que o baralho nunca estará completo, que nem mesmo existe um baralho completo. Temos de jogar com as cartas que temos. E tentar recuperar cartas que jamais existiram, como se elas estivessem apenas perdidas, não nos ajuda a viver melhor. Apenas nos congela em um lugar infantil.

Em outro texto, "A dor dos filhos", ela fala da dificuldade que temos em lidar com os abismos de nossos filhos, abismos que nos remetem aos nossos próprios precipícios e à nossa falta de sentido:

> Não protegemos nossos filhos desse vazio, não há como protegê-los daquilo que é uma ausência que nos completa. Penso que este é o momento crucial da maternidade e da paternidade. Cada um de nós, que se sabe faltante, diante da falta que grita no filho.

E conclui lindamente: "É preciso aguentar. Saber aguentar e escutar a dor de um filho, sem tentar calar com coisas o que não pode ser calado com coisa alguma, é um profundo ato de amor".

Imaginar a própria vida como um quebra-cabeça em que as peças faltantes limitam ou impedem o significado de todas as outras é submeter a existência àquilo que está fora dela; é reduzir a felicidade ao complemento de outros encaixes, quase nunca viáveis ou possíveis. Viver esperando que algo ou alguém venha nos completar e milagrosamente sanar os vazios que nos preenchem é autorizar que a falta seja aquilo que nos define mais. Estacionar diante de um quebra-cabeça com fragmentos ausentes e insistir que precisa do quadro pronto para ser feliz é desconstruir a possibilidade de seguir adiante. De vez em quando um "deixa pra lá" faz milagres e nos liberta a prosseguir tentando um arranjo novo, nem sempre perfeito, mas invariavelmente possível.

Retornando da viagem, entramos em casa e, cheios de malas, queijos e ovos trazidos do interior, tropeçamos e desviamos das peças de lego de meu menino que ficaram por guardar e foram esquecidas espalhadas pelo chão da sala de estar. Terminadas as arrumações, nos sentamos para recolher as pecinhas e, entre separar e brincar, tentamos uma ou outra combinação para criar um novo carrinho, casa ou avião. E, enquanto ainda conseguimos prosseguir sem seguir o manual — que exige as peças certas — inventamos mundos e histórias com as peças que, unidas, se transformam e se reinventam.

Se, em vez do quebra-cabeça, desejarmos prosseguir como peças de lego, uma infinidade de possibilidades se descortina. Assim, mesmo que faltem alguns pedaços, é possível continuar tentando encontrar novas combinações, roteiros e direções. Um carro pode se transformar num prédio, navio ou caminhão. E é essa capacidade de se construir e desconstruir, de se desmanchar e se recriar de uma forma completamente diferente que faz do Lego — e de nossas vidas — o melhor brinquedo que existe.

"NÃO SE AFOBE, NÃO, QUE NADA É PRA JÁ"

Não sei quanto a você, mas eu sinto que nasci na era das câmeras digitais. E até esqueço o tempo em que a gente comprava o filme e levava junto uma caixinha pequena contendo o flash. Que período pré-histórico aquele...

E como era chique entrar numa loja e pedir um filme trinta e seis poses — já que o mais em conta era adquirir um filminho de doze ou, vá lá, até vinte e quatro poses — um luxo só!

Então a gente esperava acabar tudo... com parcimônia, sem desperdício, e ia revelar. Nossa, que expectativa para então perceber que ficou um arraso; que pele, que olhar... ou então que faltou luz; que podia ter fechado a perna; que o fundo estava ruim; que no dente havia um feijãozinho preto.

Mas então o mundo mudou, tudo foi ficando mais rápido, fácil, dinâmico, moderno, fugaz. E no lugar daquela câmera com rolo vinte e quatro poses e flash acoplado, temos celulares que fotografam e imediatamente postam fotos cheias de filtros e efeitos nas redes sociais. Tudo muito luxuoso, prático e indolor. E não percebemos o quanto mudamos também. Porque esquecemos o tempo em que tínhamos que esperar as trinta e seis poses serem gastas — com dignidade e comedimento — para depois saber se saímos bem ou não na foto. Esquecemos como tudo era mais lento, simples, arcaico e até romântico...

Então é de se esperar que a gente acredite que a vida tenha adquirido esse molejo também. E passamos a exigir da vida (coitada!) o *swing* das câmeras digitais. E começamos a cobrar do amor (esse culpado!) a eficácia dos flashes embutidos. E ficamos indignados com a vida e emburrados com o amor quando eles não têm essa rapidez, categoria, *design* e evolução. Como se tudo fosse descartável, substituível, *soft* e *clean*. Esquecemos que os tempos mudaram, mas aqui dentro continuamos precários. Muito precários.

Por dentro ainda somos vitrolas empoeiradas que precisam de corda para a agulha funcionar e tirar algum som do vinil. Somos tão precários que buscamos nos outros aquilo que falta em nós. E falta tanta coisa. E exigimos tanto. E temos tanta pressa. Queremos ser curados de nossas incompletudes. Curados de nossas precariedades. E quanto mais precários, mais exigentes. Coisa estranha essa, não? Nada nos completa porque nem nós mesmos nos bastamos.

Daí vem o Chico e canta lindamente: "Não se afobe, não, que nada é pra já... O amor não tem pressa, ele pode esperar".

E a gente entende que é isso mesmo.

Que é preciso paciência e até mesmo certo trabalho.

De entrega e responsabilidade.

Confiança e nenhuma contabilidade.

Requer tempo.

Para construir diariamente. Com moderação e habilidade.

Perdão e maturidade.

Pés no chão e força de vontade.

E Luis Fernando Verissimo completa: "Para se roubar um coração, é preciso que seja com muita habilidade, tem que ser vagarosamente, disfarçadamente, não se chega com ímpeto, não se alcança o coração de alguém com pressa".

Deixar-se conquistar leva tempo também. Requer confiança e descontrole — entrega, se você preferir. Exige desprendimento e nenhuma contabilidade. Pois se você vive contabilizando, comparando, enchendo de regras aquilo que nem chegou a ser uma relação, melhor desistir. Amor leva tempo e pouco entendimento para ser construído.

Vivemos afobados, carentes de respostas, como se tudo na vida fosse assim, feito máquina digital. Esquecemos que, lá no fundo, precisamos de corda tanto quanto nossas avós. Só que na época delas não tinha essa de "não gostei, vou deletar". Era normal entender que o sentimento vinha aos poucos, pequeno, humilde; que devagar se transformava, modelando, revelando.

É claro que havia muita surpresa indesejada — como a foto antiga, revelada uma semana depois — em que a gente percebia que podia ter ficado de boca fechada e perna cruzada.

Mas havia muita coisa boa também, que só aparecia depois de provada muita mesa e vivido algum chão.

Aquilo que acontecia devagar, em etapas, como retrato em sépia que surge lentamente na revelação fotográfica e resiste às distrações da memória e às artimanhas do tempo.

O TERCEIRO ATO E AS GAROTAS DO CHAPÉU VIOLETA

Essa semana uma colega do trabalho recebeu a notícia pela qual esperou meses: pode se aposentar.

Para surpresa de todos que convivem com ela, porém, está em pânico. Enquanto escrevo este texto, três dias depois da grande novidade, está deprimida e tenta desesperadamente reverter a situação.

Ainda não sei qual será o desfecho dessa história, mas me lembrei de um vídeo a que assisti há algum tempo a respeito da revolução da longevidade, uma palestra ministrada pela atriz Jane Fonda, cuja introdução é que hoje vivemos em média trinta e quatro anos a mais que nossas bisavós.

Fica então a dúvida: o que fazer com essa nova etapa da vida que, de repente, se descortina à nossa frente? Como lidar com nossos pais, amigos e familiares que entram na maturidade ou o que quer que se denomine esse novo tempo? De que forma conduzir esse "completo segundo período de vida adulta que foi adicionado à nossa expectativa de vida"*?

Em julho, viajei com minha família. No hotel onde nos hospedamos havia outras famílias com filhos pequenos, principalmente bebês. A surpresa foi que na maioria dos casos cruzávamos com senhores na faixa dos sessenta e cinco ou mais, conduzindo carrinhos ou equilibrando bolsas gigantescas com pertences de bebês rosados e sorridentes. O interessante é que não se tratava do vovô e sim do papai, e isso me ajudou a enxergar esta nova realidade: o terceiro ato como mais uma etapa que começa e não um desfecho dos anos vividos.

Mas... e aqueles que não desejam nem podem aumentar a família nesse período? Como reinventar a vida e a si mesmo e ainda assim ser feliz, completo e assertivo no período determinado pelas três últimas décadas da vida?

A resposta pode estar no chapéu violeta. Para quem não se recorda, o conselho vem do poema de Erma Louise Bombeck, e é seguido à risca por uma turma que conheço, que acaba de entrar no terceiro ato.

---

* Citação de Jane Fonda na palestra TED Talk "O terceiro ato da vida", disponível em: https://www.ted.com/talks/jane_fonda_life_s_third_act/transcript?language=pt-br

Perto delas, ainda sou menina e me divirto só de olhar. Mas sigo acreditando na fórmula e desejando a mesma disposição, desprendimento e alegria quando chegar minha vez.

A gente se inspira nessas garotas. Porque a vida se encarregou de lhes mostrar dores, sacrifícios, angústias e solidão.

Mas elas entenderam algo fundamental: o que importa não são os tombos que você leva, e sim como você reage a eles.

Jane Fonda cita em sua palestra Viktor Frankl, psiquiatra austríaco que passou cinco anos num campo de concentração nazista, autor do livro *Em busca de sentido*. Ele escreveu que enquanto estava no campo de concentração, saberia dizer quais pessoas ficariam bem e quais não, se fossem libertadas. E a resposta não estava no físico. Estava na forma como cada um reagia ao que estava acontecendo.

E ele escreveu isto: "Tudo o que você tem na vida pode ser tirado de você, exceto uma coisa, sua liberdade de escolher como você responderá à situação".

É isso que determina sua *qualidade de vida*.

É isso que significa ser *livre*.

E essas garotas do chapéu violeta — um grupo charmoso do qual minha mãe faz parte — resolveram juntar suas dores e transformá-las em alegria. Em cor, riso e parceria. Seguem literalmente com seus chapéus violeta e ensinam (a mim, que inicio o segundo ato) a viver, a encerrar um ciclo, a recomeçar.

A reagir com delicadeza, fé e esperança.

A sugar da vida o que ela ainda pode proporcionar, mais ou menos como aquela misturinha gostosa que a gente vai deixando no prato só para saborear com vontade no final, entende?

Quanto à minha amiga, acredito que o que a assusta nesse momento é a introdução ao terceiro ato, como se a aposentadoria fosse um rito de passagem — algo como formaturas, casamento, ter um filho, comprar uma casa.

Desejo a ela, porém, que seja leve, que encontre motivos para se divertir mais, que reformule as combinações neurais e encontre rotinas menos desgastantes e mais amorosas consigo mesma.

Que compre uma bicicleta, cultive um jardim, se arrisque na dança de salão ou assista a *Mamma Mia* e se delicie com "Dancing Queen".

Enfim, que "ponha um chapéu violeta e vá se divertir com o mundo"!

MATRYOSHKA

Matryoshka, ou boneca russa, é um brinquedo tradicional da Rússia, constituído por uma série de bonecas que são colocadas umas dentro das outras, da maior (exterior) até a menor. Parece que o significado do brinquedo provém de uma lenda e quer dizer fertilidade, cuidado e proteção.

Outro dia, porém, pensando no quanto a vida da gente é costurada e ajustada, cheia de bainhas, recortes e emendas, cheguei à conclusão de que bom mesmo é ser a última boneca da matryoshka, a menorzinha que encontramos ao final e que, significativamente, não é oca.

Evoluímos demais. Adquirimos hábitos civilizatórios, aprendemos a cumprir nossos deveres e adquirimos bons modos para viver em sociedade. Mas também nos afastamos da matéria de que somos feitos, mais ou menos como se colocássemos bonecas dentro de bonecas, e, no fim, acreditássemos ser a boneca maior quando na verdade somos a menor.

Talvez a maior evolução que nosso cérebro tenha alcançado evolutivamente tenha sido essa capacidade de se adaptar e nos permitir sermos seres sociáveis. Aprendemos, desde muito cedo, quais hábitos são aceitáveis ou não. Mas ninguém nos explica de que forma iríamos assimilar tanto "isso pode" como "isso não pode". E daí que colocamos para baixo do tapete coisas demais, que poderiam facilmente conviver bem à tona de nós mesmos sem causar prejuízo a ninguém. Varremos porque entendemos que aquilo poderia não ser tão agradável. E assim nos transformamos em matryoshkas enormes, mas que no interior carregam um desenho original bem distante do que é visível aos olhos.

Vivendo em sociedade, aprendemos que é de bom tom ser sorridente, simpático, resignado, tranquilo, sensato, equilibrado e até obediente. Só que nem todo dia é primaveril assim… Existem dias áridos, em que você acorda e não está a fim de seguir a cartilha, nem forçar um sorriso, e sinceramente, querendo que tudo se #¨*oda. Então você descobre que há maneiras mais saudáveis de conviver. E entende que essa história de "bonzinho" não passa de identificação — identificação de um ego inseguro com o modelo de perfeição. Então você vai diminuindo de tamanho. Remove uma a uma as matryoskas ocas que lhe deram essa identidade e se descobre pequeno, embora inteiro.

Somos muitos. Assumimos papéis e interpretamos diferentes versões. Só que a identificação é muito perigosa. O perigo é acreditar que sou uma das bonecas ocas. E viver em função dessa identidade oca também — o ego.

Não se trata de retirar máscaras. Nem acreditar que autenticidade é dizer na cara das pessoas as mais duras verdades. É, antes de tudo, viver com mais coerência e menos culpa. Descobrir, lá no fundo, o que lhe permite ser livre — verdadeiramente, sem se levar a sério demais.

Faz parte do desejo de ser aceito renegar um pouco a si mesmo. Mas depois que a gente cresce e percebe que precisa ser mais leve, descobre que deu importância demais a regras sem sentido, só em função do medo de não ser amado. E percebe que bom mesmo é ser verdadeiro, pois quando me aproximo de mim, sou mais feliz e consequentemente fácil de conviver.

Quando renegamos a nós mesmos, é como se colocássemos bonequinhas dentro de bonequinhas, como a matryoska, e disfarçássemos nossa essência com excesso de controle e julgamento. Quando nos aceitamos, estamos prontos para a mudança e, por mais paradoxal que isso pareça, a mudança não nos torna diferentes de quem somos, e sim parecidos com quem realmente somos. E aqui não me refiro a jogar tudo para o alto, ser egoísta, negligente, promíscuo ou mal-educado. Falo da busca daquilo que não faz parte do ego, nem da necessidade de agradar, mas que representa o que realmente sinto e penso. Quando conseguir chegar ao interior das bonequinhas ocas, a mudança estará completa, pois decido viver de acordo com minha verdade, e não assumindo papéis que distorcidamente acumulei durante os anos de minha vida em função de agradar, de ser perfeito, de ser aceito, de ser amado. Enfim descubro que posso ser amado pelo que sou, e não pelo que represento ser.

Na vida, a gente se ajusta como pode. E isso implica negar impulsos, necessidades, vontades. E como varremos tantos anseios, ou estabelecemos de tantos limites, nos incomodamos com quem se assume. Se assume imperfeito, incompleto, despreparado, descuidado, atrasado, inadequado. Isso incomoda porque se somos tão controlados, como alguém pode não ser? Se sofro tanto para trancar meus pecadinhos lá no fundo, como alguém pode escancará-los numa boa?

Por isso a liberdade é tão difícil de ser encontrada. Difícil porque está no fundo, camuflada por essa necessidade que temos de nos ajustar. Então desejamos, mas será que desejamos o que realmente queremos? Ou estamos tão identificados com a superfície que não sabemos mais o que no fundo queremos realmente? Sendo a liberdade a menor bonequinha da matryoshka, a capacidade de percebê-la é um exercício difícil, que requer retirar as carapaças e identidades, descobrindo a própria verdade.

Você já parou pra pensar que aquilo que aparentemente está mais bem resolvido pra você pode ser o que o afeta mais? Ou que toda essa culpa que você experimenta com frequência vem da dificuldade de ser coerente, de estar alinhado entre o adequado e o desejado? #ficaadica, como dizem por aí... quem sabe um dia você possa perceber que a maior e mais vistosa boneca matryoshka não representa você. Ao contrário, será removendo uma a uma as bonecas ocas que você encontrará a si mesmo, menor e mais compacto, mas acima de tudo, inteiro.

UM POUCO DE MALANDRAGEM

Eu não sei pechinchar. Sério. Desde um passeio sem compromisso à feirinha hippie até a compra de um carro, não consigo chorar desconto. Quer dizer, tenho aprendido, devagarzinho, a falar: "à vista é mais barato?" ou "se eu levar duas pulseirinhas, tem um descontinho?". Mas aí, se o vendedor for ponta firme e disser algo como: "Ah, mas já está com preço de liquidação", eu aceito. Aceito quietinha e quase me desculpo por ter ousado pensar em pagar menos.

Tenho dificuldade em desejar. Se encontrasse o gênio da lâmpada e tivesse direito a três pedidos, seria uma mistura de alegria e culpa. Um desperdício na hora do deleite.

Você deve estar pensando "mas que pessoa sem graça, desbotadinha, quase um café com leite...", e eu hesito em concordar porque sei que lá no fundo existem desejos, sim. Desejos de ser mais dona das minhas vontades, corajosa em meus delírios de consumo e necessidades, certeira naquilo que me realiza.

E mesmo não sendo fácil ficar "esperando o ônibus da escola sozinha, rezando baixo pelos cantos por ser uma menina má",* é moleza aceitar as prisões que construímos para nós mesmos. Prisões sem grades ou muros, mas tão limitantes quanto. E penso como a falta de ousadia ou desejo amarra a vontade de nossas asas.

Se encontrasse o tal gênio, o pedido seria um só: "um pouco de malandragem..." ou a ginga necessária para escapar ilesa de meus próprios julgamentos e aflições.

Desejaria a tranquilidade dos que se sentem à vontade dentro da própria pele, dos que não recusam o prazer nem se desculpam pela alegria excessiva.

Esfregaria a lâmpada avidamente em busca de boêmia — não aquela que vaga sem hora nem destino madrugada afora — mas a boêmia de quem

---

* Verso da música "Malandragem", cantada por Cássia Eller.

tem o espírito livre e o coração solto. Dos que têm a fala mansa, certeira, gentil e desejosa de se acariciar verdadeiramente.

    Seria boêmia numa dança sem coreografia com minha alma, permitindo seu voo, e, principalmente, descobrindo o que a completa, o que a realiza e, finalmente, o que a basta.

A VIDA CONTINUA AOS QUARENTA

Começaram as comemorações. Os amigos dos anos de faculdade que me acompanhem no brinde a essa data simbólica que, dizem por aí, assinala um novo tempo.

Sábado passado nos reunimos em Limeira, interior de São Paulo, para a festa de um amigo. Alguns deixaram as crianças em casa, outros vieram com a família toda, outros sozinhos, mas grande parte da turma compareceu. Brindamos, dançamos, dissemos e ouvimos muitas vezes: "Como você está bem!", mas sabemos que não somos os mesmos da Alfenas de 1992, ano em que a vida começava de verdade. Ao contrário do bordão "A vida começa aos quarenta", meu divisor de águas foi aquele início de ano letivo, na faculdade, em 1992. Ali reinventei minha história, mudei o rumo de antigas aflições, superei minha inadequação. Com dezessete anos, me descobri dona de inúmeras possibilidades e responsável pelo bem ou mal que me aconteceria. Ainda que só tenha adquirido essa noção muito tempo depois, minhas atitudes deixavam claro o desejo de me reinventar.

Sábado passado, enquanto a banda tocava algum sucesso que agora não me recordo, numa conversa animada com duas amigas, alguns fatos que antecederam aquele ano vieram à tona por meio dos olhos de uma pessoa querida, testemunha do tempo na cidade em que nascemos. Naquela época não se falava em *bullying* ou coisa parecida, mas a gente sabia o que acontecia a quem não se enquadrava. E nessa linha invisível que define os mundos, algo semelhante assinalou meus anos de ensino médio. Foi conversando com essas amigas que lembrei, com certo pesar, o que já tinha esquecido de lembrar. Mas, ainda assim, parte da minha história. E, principalmente, parte daquilo que me tornei.

Às vezes, uma história ruim é o gatilho para os bons enredos que estão por vir. E por mais que se lamente o que aconteceu, a liberdade — e responsabilidade — de virar a página cabe somente a nós.

Não me ressinto daqueles que na época me julgaram menor do que eu realmente era. Talvez eu fosse mesmo, por não me posicionar adequadamente diante da vida e das pessoas. Mas talvez exatamente por isso eu tenha entendido que reconhecer e reivindicar meu verdadeiro papel ou lugar na minha própria história despenderia empenho.

Empenho de sair de uma existência nublada e me mostrar em cores vivas, feito Frida Kahlo; disposição para romper o vício de uma bondade explícita, mas com pouquíssima tolerância interna e me revelar imperfeita, mas inteira.

Encarar minha timidez foi desatar o primeiro nó que me impediria de viver por inteiro os primeiros anos de faculdade. Hoje, lidar com minha liberdade e ter a consciência de que sou totalmente responsável por tudo o que se refere a mim, incluindo aquilo que — principalmente — me afeta ou incomoda, é o que me desafia. Pois cabe a nós dar remédio àquilo que nos dói. Não há culpa nem culpados, apenas situações que permitimos que aconteçam ou não.

Se a vida começou aos dezessete, ela se desenrolou nesses mais de vinte anos que se seguiram. Hoje, mais amadurecidos e cheios de memórias, nossos nós são outros. E desatá-los um a um se torna imprescindível para que a vida continue da melhor maneira possível a partir de agora, quando chegamos aos quarenta.

Talvez essa seja uma idade de balanço. De entender e perdoar o passado e prosseguir sem muito drama ou culpa. De ser conhecedora de meus anjos e demônios e lidar com eles, sem o risco de favorecer um ou outro em detrimento de mim mesma. De recusar qualquer depreciação desnecessária e estar aberta aos elogios sinceros; de reconhecer os milagres e bênçãos; de perceber a matéria volátil de que é feita a vida e assim mergulhar profundamente na paisagem presente; de ousar, agora que já conheço alguns caminhos — bons ou ruins — dando permissão ao inesperado; de estar mais à vontade com a singularidade de que sou feita, recusando qualquer caractere que não me defina, negando pertencer por pertencer ao padrão vigente ou exigente. De aceitar minhas perdas como parte do jogo, ganhando com elas também. De enxergar com mais lucidez e menos critério, descobrindo a vida além da superfície ou do que é visível. Acima de tudo, desconstruindo certezas e sendo mais honesta com aquilo que realmente sinto. Talvez buscando uma vida de menos identidade e mais coerência.

Se aos dezessete descobri que precisava de empenho para me posicionar perante minha própria história, hoje, próxima dos quarenta, descubro que viver uma vida responsável — e, portanto, livre — requer o dobro de esforço.

Pois se desacomodar requer movimento. E crescer exige rupturas.

Ruptura com modelos que associamos ao que somos, mas que nos limitam e impedem que sejamos o que ainda podemos vir a ser. Ruptura com o olhar aniquilador que não nos redime nem autoriza viver uma vida inteira, longe de tabus que nos afastam daquilo que tem capacidade de nos enriquecer.

Já que a vida não começa aos quarenta, que ela seja narrada da melhor forma possível a partir de agora, em que foram decifradas a maioria das charadas, e descobertos os diversos caminhos.

Que possamos ser verdadeiros, pois o tempo das desculpas deve ter ficado para trás, junto com as inseguranças e as dúvidas. Que consigamos, acima de tudo, escolher olhar para nós mesmos com mais amor.

Pois é esse olhar amoroso que nos permitirá seguir adiante, sem lastimar o passado, mas dando uma grande chance ao futuro.

"VESTI AZUL, MINHA SORTE ENTÃO MUDOU..."

Esses dias fui surpreendida no trânsito. Enquanto dirigia, liguei o rádio e tocava: "Passei a ser olhado com atenção, e fui agradecer pela opinião. Então senti que o broto estava toda mudada, parecia até que estava apaixonada... Vesti azul! Minha sorte então mudou".

Me diverti demais com a letra da música que não conhecia, e segui em frente pensando no brotinho, no rapaz que de repente teve sorte e na nossa vida que poderia mudar assim num piscar de olhos, bastando um amuleto que nos desse confiança para seguir em frente.

Lembrei-me do Dumbo, o personagem de Walt Disney que acreditava que voava só por causa de uma pena mágica. Um amuleto oferecido por Timóteo, o ratinho, para lhe dar confiança. Sem saber que realmente voava, Dumbo quase colocou tudo a perder quando a pena se soltou de sua tromba. Prestes a se espatifar no chão, foi alertado por Timóteo, que aos berros disse: "Você voa!", e assim o fez recuperar as forças e planar.

O tempo nos permite desmistificar certas neuras que insistem em habitar nosso espírito; vamos adquirindo ginga, fortalecendo nossa alma e perdendo o medo de arriscar. Arriscar leveza, sorrisos, audácia. Aprendemos a olhar nos olhos, a assumir nosso lado mais humano e nem por isso pior.

Outro dia fui abordada com uma pergunta capciosa no meio de um almoço de família. Da ponta da mesa surgiu a dúvida: "E você, não cozinha nem no fim de semana?". Fui pega de surpresa e me senti obrigada a dar explicações, já que cozinhar nunca foi meu forte. Gaguejando, perdendo a ginga e deixando a "pena" escapar, fui justificando minha pouca habilidade culinária. Só depois me dei conta da cilada.

Fui soberba. Quis mostrar que dava conta do recado quando, na verdade, não dou. Poderia ter respondido apenas "não", um "não" suave, sincero, simples. Um não redentor, olhos nos olhos, sem culpa.

É difícil aceitarmos nossas incompletudes. E nos habituamos a escondê-las, como se fossem defeitos. Não são.

Tem gente que não dirige, mas faz um risoto maravilhoso. Outros tratam o computador como alienígena, mas operam lâminas e bisturis com a precisão de deuses. Tem gente que não cozinha, mas toca Bach ao piano divinamente. Algumas mães se sentam no chão e passam horas brincando. Outras, inventam histórias e buscam na escola... cada um do seu jeito, certos e incompletos; porque perfeito, só Deus.

Vestir azul é se reconhecer apto para o que você tem de melhor e não se martirizar por aquilo que ainda não é capaz, não gosta ou não quer.

Passamos muito tempo flertando com a perfeição e pecamos por excesso de soberba.

Temos dons, mas somos falíveis.

Temos que reconhecer nossos limites, aquilo que não nos cai bem, o que não é do nosso feitio. Por que essa pretensão de querer dar conta de tudo?

Sigamos em frente com humildade, reconhecendo que um simples "não consigo" não é sinal de fraqueza, e sim de maturidade.

Você não deixará de ser quem é só porque faz café fraco ou coloca água demais no feijão.

NÃO IMAGINE SEU LUGAR FORA DAQUELE QUE LHE FOI RESERVADO

Há alguns anos, numa cerimônia de posse do prefeito de Campinas, tive um *insight*. Enquanto assistia à solenidade e ouvia os discursos, pensava na dificuldade que existe em tomarmos posse de nós mesmos.

Nos conhecemos muito mal. E temos a lamentável tendência de sair do nosso centro para cuidarmos da vida alheia — como se isso fosse remédio para nossa pouca habilidade de lidar com as próprias carências. Fugimos de nosso governo e vamos despachar em outras praças, mandando e desmandando em gabinetes que não nos pertencem, mas que insistimos em manter o expediente, como funcionários picando o cartão.

Se cada um se colocasse no próprio lugar, haveria mais espaço para todo mundo aprender — cair e se levantar — respirar, evoluir, viver. Nosso lugar pode, sim, ser melhor se trabalharmos para isso. Se eu souber a receita que me faz feliz, me deixa tranquila ou me traz conforto (apesar dos pesares), e segui-la à risca, já serei uma companhia melhor para os meus. Porém, se eu preferir ciscar por outras praças, surfar na superfície de mim mesma, nunca habitando meu próprio lugar no mundo, seguirei descuidada de meus anseios, impaciente com minhas dificuldades, raivosa, intolerante e muito ranzinza. Certamente serei um fardo para aqueles que me amam, uma pátria sem governante, um trono sem rei.

Não imagine seu lugar fora daquele que lhe foi reservado. Desacostume-se com frases do tipo "no seu lugar...", pois quem diz isso não imagina, nem de longe, o que é ser o outro.

Queixamo-nos da falta de tempo quando nos dedicamos demais ao desnecessário.

Desperdiçamos tempo e energia acompanhando, palpitando, sendo úteis (até demais!) àquilo que não nos requer. É claro que nossos filhos precisam de nós; porém, não como eternos cuidadores de seus caminhos e sim ensinando-os a cuidarem eles mesmos da própria vida. Ensinando-os principalmente com o exemplo. Exemplo de zelo com nossas próprias necessidades, do corpo e da alma. E deixando-os livres, donos de si mesmos, enquanto permanecemos em nossos lugares: espectadores de suas jornadas. Esse é um dos maiores legados que podemos deixar.

Tome posse de seu governo e vá em busca de suas respostas. Nada pode te perturbar se você não permitir. O que mais te incomoda não está fora, e sim dentro de você. Viaje para dentro de si mesmo e encontre riquezas por trás das aparentes clarezas. Descubra as razões que te tornam um governante tirano ou compassivo demais. Encontre equilíbrio no domínio e submissão, na disciplina e rebeldia, no caos e organização. Ame-se além do bem e do mal, se perdoe, se tolere. Encontre caminhos que lhe conduzam à realização de seus anseios, encare o medo de frente e não busque camuflá-lo com tirania, controle excessivo ou autoridade sem propósito. Cuide do que é seu, se valorize na medida certa. Guarde seus tesouros e não exponha em praça pública aquilo que é mais caro para você.

Não dependa dos outros para ser feliz nem ampare seus desejos nas circunstâncias alheias — a frustração vem a galope. Respeite seus limites e proteja seu espaço. Controle as visitas e não permita que seu gabinete se torne "a casa da mãe Joana".

Tome posse de si mesmo. Seja firme, positivo, centrado. Assine, carimbe e autentique tudo aquilo em que tem fé. Assuma, principalmente, a fé em si mesmo.

Lembre-se de que o mandato de governantes dura quatro anos. O seu é vitalício — e pode acabar a qualquer momento.

Bom governo!

NOSSAS VIDAS NÃO VIVIDAS

Acabo de ler *O que você é e o que você quer ser*, do psicanalista Adam Phillips. O livro questiona, desaloja e propõe reflexões que fazemos pouco, enquanto simplesmente seguimos nossas rotinas, construindo uma vida que pode ser satisfatória ou não. Num dado momento, ele diz:

> Qualquer ideal, qualquer mundo desejado, é uma forma de perguntar qual o tipo de mundo em que estamos vivendo que faz do mundo ideal uma solução (nossas utopias nos dizem mais sobre nossa vida vivida e suas privações do que sobre nossas vidas sonhadas); ou, para abordar mais clinicamente a questão: qual teria de ser o sintoma para que esse mundo (ideal) fosse uma forma de cura?

É claro que parei para pensar na minha vida (real) e na não vivida, na qual tenho a tendência de fantasiar que existiria uma versão muito melhor e menos frustrada de mim mesma. Haveria algum lugar em que seríamos mais realizados e satisfeitos? Será que carregamos um tanto do sonho de Ícaro, desejando voar tão alto que não percebemos a matéria perene de que são feitas nossas asas? Até que ponto estaríamos tão insatisfeitos, de modo que nossas vidas não vividas sejam mais importantes que as que estamos inseridos?

Interpretamos nossas vidas não vividas com mais glamour do que elas jamais teriam. Recordamos o que deixamos para trás com uma nostalgia digna dos clássicos de cinema. Fantasiamos os destinos não alcançados ignorando os percalços e as perdas inerentes a qualquer um. Nos imaginamos naquele lugar distante de nossa vida real, sempre tão satisfeitos e realizados como jamais conseguimos estar naquilo que construímos e vivenciamos hoje. E finalmente nos refugiamos nesse mundinho de ilusão capaz de nos ludibriar e convencer de que somos maiores e melhores do que realmente somos. No fundo precisamos acreditar que, em algum lugar (longe de nós mesmos), seríamos melhores, mais bem-sucedidos, menos frustrados. Porque só assim a vida poderia ser mais suportável. Só assim a vida poderia ser mais prazerosa.

Porém, existirá prisão maior que viver de buscas? De se sentir impelido a remar, remar, remar... sempre desejando, nunca alcançando? Jamais percebendo que chegou?

"Nossas utopias nos dizem mais sobre nossas vidas vividas e suas privações do que sobre nossas vidas sonhadas..."

Dessa forma, o que importa não é propriamente o desejo, e sim a falta (do que quer que seja).

Sempre me desacomodei diante dos demasiadamente sonhadores, não os que de fato vão atrás daquilo que acreditam — o que não seria utopia, mas objetivo —, e sim os que almejam uma vida impossível, ou ao menos inviável. Não seria essa uma maneira de justificar a infelicidade? Ou de ludibriar a pequenez de que somos feitos? De se autossabotar, já que o impossível nunca é alcançado e, portanto, justificaria uma vida imperfeita, encobrindo o sintoma — a incapacidade de ser feliz — ainda que inconsciente? Assim, o sonhador seria uma espécie de eterno frustrado?

Construindo um mundo no qual o que não foi vivido ganha mais destaque do que aquilo que é real, nos protegemos da satisfação, a qual pode ser tão perturbadora quanto a frustração. Sempre haverá defesas a nos proteger da satisfação. Viver de sonhos é uma delas. Mas o que estaria escondido por trás dessa incapacidade de se satisfazer?

De qualquer forma, existem os dois lados da moeda. Assim, também corremos o risco de abdicar demais do sonho por medo da frustração. E então, aquele que vive de ilusões e não as realiza (mas lamenta a vida que não viveu) sofreria do mesmo sintoma que aquele que evita sonhar e resiste, adaptando-se à custa de uma vida virtuosa, mas descuidada e afastada de si mesma.

Estaríamos adaptados demais aos ambientes prejudiciais que criamos e mantemos para nos proteger da satisfação? Que tipo de vida criamos ou estamos inseridos e o que elas podem dizer sobre nós mesmos?

Somos os únicos responsáveis pelas vidas que vivemos e pelas que deixamos passar. Não nos cabe acusar nada nem ninguém por aquilo que não tivemos coragem de assumir ou mudar. Mudar de emprego, separar do cônjuge, atravessar o Canal da Mancha, pôr e tirar o silicone, preencher e esticar a pele, fazer um retiro na Índia, percorrer o caminho de Santiago... Tudo isso só faz sentido se a mudança maior acontecer dentro.

Caso contrário, vamos viver de sonhos e suspirar feito Amélie Poulain: "São tempos difíceis para os sonhadores...".

Pensando nisso, divaguei sobre meu ambiente de trabalho, meu casamento, a casa onde moro, a opção por ter tido um filho único, os cuidados que tenho com a alimentação, as atividades físicas e os tratamentos médicos, minha vaidade, as escolhas que fiz e tenho feito, meus planos e projetos.

Dizer que tudo é do jeito que eu queria é mentira e igualmente imperfeito. Não há satisfação sem conflito, nem desejo sem falta. Então a falta e a frustração são essenciais para uma vida satisfatória e, portanto, perfeita. Desse modo, nossas vidas não vividas é que fazem nossa vida real ser prazerosa, pois em certo grau, a frustração nos dá direção. E por mais que seja nobre ser e estar grato, temos que agradecer a Deus por não termos tudo. Agradecer aos céus por ainda vivermos incompletos e carentes. Em maior ou menor grau, precisamos nos sentir frustrados para que ainda possamos seguir adiante.

Existem sonhos e fugas. Saber diferenciá-los e buscá-los define quem somos de verdade. No fundo o que precisamos é de coragem. Coragem para assumir o quão pequenos somos, e saber lidar com essa pequenez, essa falta, essa imperfeição. Sem culpar o tempo, a infância, a TPM, o chefe, o emprego, a esposa, o marido, os filhos. Você é responsável pelo lugar em que está. E muitas vezes não adianta mudar a paisagem, escalar muros, atravessar desertos, transpor oceanos. O que se busca não está fora, mas dentro. Depende de você. Somente você.

TRÉGUA

Quando me tornei mãe, um dos meus maiores medos era que meu filho colocasse grãos de feijão no nariz ou ouvido. Já tinha escutado histórias semelhantes na família e aquilo me parecia muito comum, apesar de perigoso. A fase de cometer esse delito se foi, e, com o transcorrer dos anos, outros medos, igualmente pertinentes ou não, vieram se somar ao meu repertório de mãe atenta, preocupada, precipitada.

Mas o tempo passa e vamos percebendo que as profecias sombrias nem sempre se concretizam; que o medo paralisa e aprisiona, que podíamos usufruir mais da paz que nos é dada por direito se apenas déssemos uma trégua.

E percebo agora que o mundo precisa de trégua. Que poderíamos ser bem mais felizes se apenas usufruíssemos da vida que Deus nos deu — como prova de amor — sem receio de levantar e cair, sem medo de que nossa vida vire de cabeça pra baixo se o outro optar por uma forma de viver que julgamos incorreta, sem enxergar maldade onde há apenas escolha, sem dar nomes obscuros ao que a gente desconhece. Precisamos de trégua; de olhar para o próximo com mais amor e tolerância, sem achar que algumas maneiras (diferentes das nossas) de ver o mundo podem contaminar nossos filhos ou as gerações que estão por vir. Trégua para aceitar as diferenças, abraçar o desconhecido e enfrentar os tabus.

Estou lendo a biografia de Malala, que ganhei da minha mãe no último fim de semana. Muito além da história da menina que ganhou o Nobel da Paz, o livro narra a história de um povo que tem medo. Medo de que sua população pense, que os costumes mudem, que as mulheres possam ter direitos iguais aos homens. É Malala quem escreve: "Nasci menina num lugar onde rifles são disparados em comemoração a um filho, ao passo que as filhas são escondidas atrás de cortinas, sendo seu papel na vida apenas fazer comida e procriar".

O terrorismo no mundo muçulmano é a materialização do medo numa sociedade que não aceita mudanças, que não dá tréguas à evolução e não tolera diferenças ou divergências. Sob o domínio do Talibã, que, acima de tudo, é uma organização que teme (e por isso espalha o terror), o Paquistão se tornou terra de desigualdades e distorções dos direitos humanos.

No Ocidente, o medo também conduz e massacra em nome de uma verdade pura e intocável. Muitos cristãos — que, como o nome diz, deveriam seguir os ensinamentos de Cristo — ainda têm dificuldade de aceitar os preceitos que esse mesmo Cristo propagou durante sua existência, e colocam restrições a um dos maiores mandamentos: "Amar ao próximo como a ti mesmo", caso esse próximo não se enquadre naquilo que ele julgue certo, ou melhor dizendo, "do lado do bem". E se indignam com mudanças, com o novo que chega, como as novas e louváveis mudanças na Igreja Católica vindas do grande papa Francisco.

O temor que não permite às mulheres o direito à alfabetização no Paquistão (pois desta forma também terão direito ao livre pensamento) é o mesmo medo que faz com que papa Francisco seja rejeitado ou visto com olhos duvidosos por alguma parcela de religiosos dentro da própria Igreja Católica.

O medo de que os limites sejam rompidos — pois o pensamento "o que faremos com nós mesmos se não houver tais limites?" — assusta e incomoda, pois reflete a insegurança de "o que será de nós agora que tudo o que pensávamos que era não é mais?" e, pior ainda: "'o que faço com o medo que tenho do mundo que deixaremos para nossos filhos se as barreiras forem quebradas? E se meu filho abraçar aquele que julgo tão diferente de mim? E se meu filho quiser ser, ele mesmo, tão diferente de mim?".

Mudanças. Ninguém disse que seria fácil assimilá-las. Porém, é a única maneira de não retroceder. O único jeito de descobrir que existem outras formas — diferentes, e nem por isso erradas — de enxergar uma mesma situação. Só temos que estar dispostos. Dispostos a abrir mão de nossas convicções e aprender a enxergar com o coração, percebendo que nem tudo é negativo; e muito daquilo que julgamos difícil de entender, está aí para nos ajudar a evoluir.

Malala e papa Francisco nos desacomodam. Nos tiram de nossa zona de conforto e nos fazem refletir. A dar uma trégua aos temores que assolam nossa existência, e ousar construir um mundo mais igualitário e melhor, onde os verdadeiros direitos humanos sejam cumpridos, com dignidade, tolerância e amor. Onde o medo não gere arrogância nem tirania.

Quanto a mim, prometo dar uma trégua aos meus receios maternos também. A fase dos grãos no ouvido passou, mas certamente chegarão outras inseguranças igualmente preocupantes e claustrofóbicas. Que eu possa dar limites com base no objetivo de fazer meu filho crescer e ser capaz de fazer suas próprias escolhas no futuro; mas nunca, jamais, com o propósito de amedrontá-lo, acorrentando-o a mim.

O TEATRO DA EXISTÊNCIA

Tenho descoberto que sou muito interessada em física e filosofia. Fã do autor Marcelo Gleiser, o livro *A Ilha do Conhecimento* tem me feito companhia nos últimos dias. Ainda não concluí a leitura, mas, como de praxe, o livro está severamente sublinhado.

Em uma passagem, ele diz: "O teatro da existência se dá no cérebro". E, apesar da atividade incessante de nossos neurônios, o "cérebro é cego e surdo para informações que não aumentariam as chances de sobrevivência de nossos antepassados". Em outro capítulo, completa: "A última palavra é sempre da Natureza: ela pouco se importa com nossos sonhos de perfeição ou beleza estética".

O que pode ser um imenso alívio quando se trata de expectativas ou necessidade de controle. E pode explicar alguma coisa em se tratando do acaso ou eventos aleatórios que desencadeiam uma grande ocorrência.

Ao falar sobre o teatro da existência, falamos sobre a percepção que temos do mundo ao nosso redor e o que esse mundo nos oferece ou deixa de oferecer. Como reagimos ao que falta ou sobra em nossa vida.

Nosso cérebro capta uma realidade severamente incompleta, e formula sua concepção diante do *todo* da forma que lhe é mais conveniente para sua autoproteção e preservação.

Como fala o filme *A culpa é das estrelas* há uma quantidade infinita de números entre o zero e o um, e muito mais entre o zero e o dois. Há o 0,1; o 0,12; o 0,112...

Assim, por mais que enxerguemos somente o zero ou o um e o dois, entre eles há uma infinidade de números que também ditam as regras de nossa existência: os percalços e as falhas, as vitórias e a boa sorte... e nem nos damos conta, acostumados a lidar somente com a realidade a que fomos condicionados a experimentar.

O teatro da existência consiste na forma como lidamos com aquilo que interpretamos como realidade. Porém, a realidade não é só aquilo que nossos sentidos captam; é algo muito maior, em constante harmonia ou desarmonia com o Universo. Dar sentido a esse teatro cabe a todos, do jeito mais conveniente a cada um.

Nem sempre, porém, encenamos as peças que desejamos.

Ao tentar "dançar conforme a música", buscamos, de algum modo, equilibrar nossa vida. Porém, colidir diretamente com aquilo que não está fluindo é varrer poeira contra o vento. Mais ou menos como escrever e encenar um teatro desgastante e desnecessário; com muito drama, suor e lágrimas pra pouco conteúdo e consistência.

"O modo como cada pessoa escolhe se relacionar com essa escuridão define — ao menos de forma geral — como cada um vê a vida e seus mistérios", escreveu Gleiser.

O teatro da existência ocorre no cérebro. Dessa forma, deveríamos criar espaços internos que nos permitissem ter um recanto de paz, longe de todo o barulho que a realidade dos sentidos traz.

Nunca fiz meditação e me arrisquei pouco na yoga, mas imagino que criar espaços internos seja como meditar ou orar.

Como a oração é a única prática que conheço, acredito que é uma forma de estar em sintonia com a Natureza, com a Verdade, com o Todo do qual faço parte.

Aceitar o desconhecido, aquilo que *não* fomos condicionados a enxergar, é difícil. Segundo as palavras do filósofo Heráclito: "A Natureza ama esconder-se". Assim, tentar uma conexão com a Verdade é uma busca corajosa, que implica deixar antigas concepções de lado, romper o vínculo com o conforto, e se arriscar numa profunda e dolorosa mudança de perspectiva.

O Deus que habita em mim e no qual acredito é um Deus de Amor. Um Deus que não pune, mas acolhe. Um Deus que não pede sacrifícios, mas aceita o pecador. Se estar em harmonia com esse Deus me coloca em confronto com alguns dogmas que me ensinaram no decorrer da vida, é perante esses dogmas que minha realidade mudou.

Esqueceram de nos contar que Deus é amor, que nós somos e carregamos a partícula divina; que a Verdade acolhe e não segrega; que o Amor abrange, e não distingue. Ao compreender a verdade de que ao pecador também é reservado o direito de se sentir amado por Deus, me sinto em paz e amparada por tranquila certeza.

O teatro de minha existência tem tido desfechos e novos atos cheios de curiosa busca por conhecimento. Meu desassossego tem me trazido paz, por mais paradoxal que isso seja. Por me tirar da zona de conforto, da mansidão do que é conhecido, e me lançar numa interação maior com aquilo que não é reconhecido pelos sentidos, mas que verdadeiramente existe e *É*.

Por me permitir abrir compartimentos trancados de intuição e completude ao Todo que nos rege.

Por modificar a perspectiva que tenho do mundo e das pessoas.

Por descobrir que falhas nos permitem avançar.

E, finalmente, por constatar que o que de fato importa é aquilo que ainda não sabemos ou estamos impossibilitados de enxergar — os tais números entre o zero e o um, ou entre o um e o um milhão… "O essencial é invisível aos olhos", como diria o pequeno príncipe.

TODOS UM

Somos frágeis, cada um à sua maneira. E, mesmo tentando evitar, a fragilidade nos alcança, nos incomoda, dói.

Todos os dias, o palhaço tropeça no chapéu em frente ao meu carro no cruzamento das avenidas Andrade Neves com a Barão de Itapura, aqui de Campinas. Por mais que eu evite o contato visual, ele está lá, diante do meu carro confortavelmente fechado, equilibrando quatro bolas que rodopiam sobre sua cabeça coberta com o chapéu.

A cena se repete todos os dias, e sempre evito olhá-lo nos olhos. Pela repetição do gesto que virá em seguida — o chapéu se transformando em um porta-moedas —, mas, principalmente, por me lembrar que sou vulnerável como ele.

Dou a ele algumas moedas — sei que no dia seguinte terei que renovar meus trocados — mas isso não basta. Preciso olhá-lo nos olhos, conhecer sua história; descobrir se, caso pudesse rechear seu chapéu com valores maiores, conseguiria diminuir o peso de nossas fragilidades — a dele e a minha.

Não sei se isso ajudará, mas preciso dedicar tempo a ele. Lembro, então, que meus sentidos estão impregnados. A presença dos pacientes do Centro de Saúde onde trabalho permanece comigo alguns minutos após a jornada habitual e meu vestuário está repleto de cansaço.

O palhaço me recorda que somos frágeis, quebráveis, que estamos vulneráveis à vida e à morte.

Por isso é tão difícil encará-lo. A vida já é bastante doída para nos doermos mais. Nossas lascas ficam escondidas, enquanto as dele estão expostas feito o chapéu que é estendido após o show.

Mais fácil escolher logo as moedas no fundo da carteira que precisar justificar nossa pequenez, nossa incapacidade de encará-lo como igual.

Somos todos iguais. Iguais ao palhaço de rua, iguais ao menino que o quadro do *Fantástico* representou tão bem.

No quadro "Vai fazer o quê?", um ator mirim abordava as pessoas na calçada com um pedido inusitado: "Me dá um livro?".

Numa sociedade desconfortável perante o clamor das calçadas, ouvir o pedido do menino é mais que escutá-lo. É perceber que ali não se pede dinheiro, nem comida para matar a fome. Mas educação. Um livro. Um pedaço do seu tempo corrido para subir as escadas da livraria e ler algumas páginas para o garoto analfabeto. Um clamor. Um chamado. Uma necessidade de ser visto além dos trapos e do incômodo que provoca por estar ali. Simplesmente por existir.

Enquanto muitos nem ouviam o que o menino tinha a dizer, outros entraram na livraria e, além de se oferecerem para comprar o livro, o liam para ele.

Me surpreendi comovida do outro lado da tela. Comovida como outros tantos que postavam no Twitter a mesma emoção. A emoção de perceber que ainda existem pessoas sensíveis ao sofrimento alheio, pessoas que não têm medo de se fragilizar com a fragilidade do outro, pessoas que arriscam seu próprio desamparo ao encarar com coragem o desamparo do menino.

Hoje quero encarar o palhaço. Quem sabe trocar algumas palavras antes de o sinal abrir.

Sentir-me quase em carne viva ao abordar suas cicatrizes. Mas não vacilar ao olhá-las de frente, assim como devo fazer com as minhas.

Quem sabe tocá-las, perceber que somos feitos do mesmo tecido.

Percebendo que somos um.

Cada um de um lado do vidro do carro, mas, ainda assim, UM.

PARTE IV
A GENTE TEM QUE CONTINUAR...

A GENTE TEM QUE CONTINUAR...

Algumas séries me fisgam pelas beiradas. São frases, ditas no meio de um episódio, que me levam a refletir os últimos acontecimentos de minha vida, e de repente estou apaixonada pelas personagens. Feito a Teresa, de "Três Teresas".

Na noite de ontem, lá pelas tantas, veio a frase: "O mundo da gente começa a morrer antes da gente... e a gente tem que continuar...".

Pronto. Foi a deixa para meu pensamento voar, entender alguns desencaixes, suportar certas partidas, colocar algumas peças no lugar.

A gente tem que continuar mesmo depois que o arroz queima, a água seca, o vinho entorna. A gente continua depois de descobrir que os defeitos pioram com a idade e as qualidades viram hábito no dia a dia. A gente tem que continuar depois do luto, da partida, da despedida, das horas frias, do caminho incerto. A gente continua e aprende a cantar "apesar de você, amanhã há de ser outro dia..." para o amor que não deu certo, para as falhas recorrentes, para nós mesmos que nem sempre somos quem gostaríamos de ser. Apesar de nós mesmos, de nossas fissuras e nossos desencantos, a gente tem que continuar...

E a gente aprende que ter que continuar é muito mais que traçar um caminho que justifique a esperança por dias melhores. É saber deixar para trás com sabedoria, entendendo que a vida é constituída de muitas histórias, e finalizar um capítulo não significa dar fim ao que somos.

O nosso mundo começa a morrer antes da gente, e aceitar nossa responsabilidade em deixar o mundo se modificar, se despedir ou se transformar requer coragem. Coragem de romper com modelos antigos do que fomos e assumir com maturidade novas versões, muitas vezes melhores, de nós mesmos.

De vez em quando nos habituamos a antigos nós. Preferimos a dificuldade do que é conhecido à facilidade de novos e perfeitos voos. Desdenhamos da felicidade como quem se empenha em ser infeliz, e construímos muros para nos proteger da vida que chega trazendo ares de esperança e novidade. Preferimos nos refugiar no que é conhecido, e nem sempre melhor.

Muita esperança chega quando um ano se finda e outro se aproxima, com a promessa de novos dias, em branco, para gente escrever a história da melhor maneira que puder. Talvez precisemos aprender a aceitar as novas realidades que inevitavelmente ocorrerão.

Haverá a mãe que terá que se adaptar ao fim da licença-maternidade, a adolescente que verá seu namoro ruir, o homem que receberá o pedido de divórcio numa manhã aparentemente comum, a senhorinha que vai enviuvar, os pais que levarão seu menino ao aeroporto para fazer intercâmbio, a menina que verá o fim da infância num teste de gravidez, a decepção do jovem, o casamento da moça dos sonhos, o ninho vazio, as novas dores da maturidade, a traição, o recomeço, a renegociação com a vida.

Talvez seja isso. Aprender a renegociar com a vida, descobrindo que novas portas estão sendo abertas, mesmo que haja a tendência de nos fixarmos em cadeados fechados. O mundo da gente começa a morrer antes da gente, mas o futuro também guarda boas surpresas, e o que se pode chamar de "nosso mundo" não existe só no passado, mas na realidade que construímos diariamente e que somente nós podemos lapidar.

O que ninguém nos tira: a capacidade de nos recriarmos em qualquer tempo. A alegria de nos percebermos resistindo, apesar de tudo. A satisfação de percebermos nossa coragem. E, finalmente, a paz de nos aceitarmos por inteiro.

A gente tem que continuar...

MATURIDADE × INSANIDADE

Quando a cartunista Laerte decidiu assumir uma nova identidade de cabeça erguida e peito aberto enfrentou críticas, comentários, acusações e diagnósticos sombrios sobre seu estado mental. Porém, acima de qualquer julgamento, buscou ser fiel ao seu coração, ao que acredita de fato, àquilo que lhe traz paz mesmo causando turbulência à sua volta, uma reconciliação com sua história, um respeito por sua natureza.

Vivemos em busca de aprovação, de um olhar "superior" que nos diga que o caminho que trilhamos está certo, que é isso o que esperam de nós. Mas será que cumprindo o combinado nos tornamos pessoas mais felizes e realizadas?

Seria insano questionar o projeto e recalcular a rota?

Desconstruindo a perfeição nos tornamos mais humanos, mais próximos uns dos outros.

Dando o grito de liberdade, aceitamos a nós mesmos como somos, nos perdoamos, deixamos de ter um olhar moralista sobre a identidade escondida dentro de nós, descobrimos que não somos culpados pela maioria das misérias a nós atribuídas. Enfim amadurecemos.

Amadurecemos quando nos libertamos da aprovação alheia para nos sentirmos felizes, confortáveis ou protegidos.

Quando deixamos de ter medo de nossas fragilidades e aceitamos olhar para elas do mesmo modo que nos vangloriamos de nossas virtudes.

Amadurecemos quando rompemos nossas defesas e descobrimos nossa humildade, admitindo que ninguém é cem por cento imaculado e que algumas enfermidades fazem parte do caminho, e isso é totalmente aceitável.

Quando enfrentamos nossas provações de frente, não nos censuramos nem disfarçamos nosso inferno.

Amadurece quem não se vitimiza em busca de atenção, nem se omite para manter sua reputação.

Amadurecemos quando aprendemos que a vida é composta de acertos e desacertos, e nos permitimos errar. E depois de reparar nossas faltas, nos perdoamos e seguimos em frente.

Amadurecemos quando começamos a trilhar um caminho de transparência e fidelidade aos nossos sentimentos.

Quando preservamos nossa própria natureza, não poluímos a nós mesmos agindo de acordo com as "normas vigentes" nem aceitamos ser rotulados.

Amadurecemos quando entendemos que somos os únicos responsáveis por nossa vida e deixamos de culpar os outros por nossos fracassos, frustrações ou sonhos não realizados.

Quando entendemos que não adianta depositar nossas expectativas em ninguém, cada pessoa enxerga a vida à sua maneira e não é certo cobrar algo que tem valor relativo para cada um.

Amadurecemos quando deixamos de ter preconceitos contra nossa própria história, assumimos nossas imperfeições ou o que se fez imperfeito em nós, e paramos de apontar no outro aquilo que tentamos esconder ou omitir em nós mesmos.

Amadurecemos quando entendemos que a vida é um conjunto de bem e mal, certo e errado, belo e feio, alegrias e tristezas, e passamos a conviver com os dois lados, sem negociar uma escolha definitiva.

Amadurecemos quando deixamos de ser tão exigentes, quando nos permitimos transgredir e ser menos certinhos, quando finalmente aprendemos a dizer "não" e fo#*-se!!!

Amadurecemos quando descobrimos que a alegria verdadeira tem um antagonista dentro de nós, que ninguém é cem por cento feliz o tempo todo, e que isso é totalmente aceitável.

Amadurece quem percebe que o sofrimento faz parte do caminho, e que ele é bem-vindo também quando nos ensina o sentido da paciência e da aceitação diante das demoras e dos reveses da vida.

Quem compreende que não há lógica nem explicação para tudo, que o importante é ter menos controle e mais diversão, e, enfim, descobre que a maturidade flerta com a insanidade...

Amadurece quem entende que a vida é como uma enorme colcha de retalhos em que os retalhos bonitos, limpos e de cores vivas estão firmemente atados aos feios, sujos e gastos pelo tempo. Certamente desejamos possuir e expor uma colcha perfeita, agradável e aconchegante aos olhos. Mas para isso teríamos que mostrar apenas metade da colcha — ou setenta por cento, vá lá.

Porém, quando entendemos que a beleza da colcha está nos contrastes, encontramos a paz que deriva do perdão e da verdadeira autoestima. Deixamos de julgar tanto — a nós e aos outros — nos tranquilizamos com nossas histórias, fazemos as pazes com nossos fantasmas.

Nos descobrimos livres, sem dívidas.

Encontra a felicidade aquele que entende que não adianta mostrar a colcha por partes nem camuflar os retalhos feios. O segredo é olhar para eles com carinho e aceitá-los como parte do todo. E conviver bem com isso, pois, no final, usando a colcha inteira estaremos bem mais aquecidos do que se só a usarmos pela metade.

COLCHA DE RETALHOS

Terminei a crônica anterior comparando nossa trajetória a uma enorme colcha, e volto ao tema por considerar o amor e os relacionamentos partes da mesma estrutura, um alinhamento de muitos retalhos que compõem cada um de nós.

Se somos colchas de retalhos, como alcançar o próximo Dia dos Namorados acreditando que seremos vistos além de nossos remendinhos, e, paralelamente, que encontraremos alguém coerente no equilíbrio entre retalhos intactos e gastos, de cores vivas ou desbotadas, firmes ou totalmente descosturados? Como encontrar alguém que se mostre por inteiro, sem ocultar ou disfarçar nada? Como reconhecer a colcha boa em meio a tanta pirataria?

É muito difícil definir nossas escolhas com base nas primeiras impressões. No início, todas as colchas são belas e apaixonantes, pois encontram-se caprichosamente dobradas e alinhadas. Compactas, guardam em seu interior um lado que só poderá ser descoberto com o tempo.

Aqueles que têm o espírito aberto e desejam viver suas histórias com paciência e disposição conseguem aceitar o que esteve camuflado: um furinho aqui, uma costura solta ali... e se encantam com a harmonia do conjunto.

Outros, julgando-se retalhos perfeitos e intactos, irão se sentir trapaceados diante de ranhuras no tecido ou má combinação de fazendas. Num mundo onde tudo é rapidamente descartado e substituído, um simples fio puxado ou desgaste no acabamento bastam para a reposição.

Há os que acreditam estar numa missão, são os fiéis costureiros da colcha esfacelada, e se empenham nessa jornada, sacrificando a vida em prol da recuperação da colcha esfarrapada. Esquecem que ninguém pode consertar ninguém... Remendos fazem parte do pacote, e não dá para transformar uma colcha de retalhos num edredom dupla-face.

Alguns se acham a última colcha matelassê do pedaço. Não conseguem encontrar um par à altura, pois imaginam ser merecedores de, no mínimo, um cobertor tipo exportação, cem por cento antialérgico, aveludado e de aparência requintada. E seguem assim, desprezando radicalmente aqueles que não se enquadram em seus quesitos. Rotulam as pobres mantinhas, comparando-as a ponchos... inconscientes de que no fim estaremos todos corroídos pelas traças e desbotados pelo tempo, aquele que não poupa ninguém.

Há também os que nunca são escolhidos, passam a vida inteira empacotados ao contrário, deixando à mostra seus defeitinhos e escondendo o que têm de melhor. Não têm a sorte nem o tempo a seu favor, o tempo que permite nos mostrarmos por inteiro.

Não adianta cobiçar a colcha do próximo. É ilusão achar que a colcha do vizinho guarda mais qualidades que a nossa. Ninguém garante que lá no meio não existam destroços e muita fuligem. Cuide do que é seu, e se quiser mudar o mundo comece remendando a si mesmo...

E se, depois de muitos anos amando uma colchinha sob medida, nos depararmos com um estrago enorme, um rombo ou uma corrosão no meio do que acreditávamos ser a colcha perfeita? O que fazer numa hora dessas? Entender que somos livres e a escolha é nossa, aprendendo que colchas perfeitas são ilusões e edredons gigantes só existem nos contos de fadas.

Tem gente que não suporta ver o próprio estrago. São os que passam a vida inteira se mostrando por partes, só as melhores. Não aprenderam a confiar, a relaxar diante de suas imperfeições e combinações esdrúxulas. Pode ser que lá na frente, porém, descubram que onde antes havia uma manchinha agora reina uma nódoa gigantesca, justamente porque não foi arejada. Abafada, contaminou tudo ao redor, como bolor... Se tiver sorte, um pouquinho de claridade e muita lavagem resolvem.

Descobrimos que aquilo que sentimos é amor quando olhamos a colcha cem por cento aberta e, apesar dos tecidos que não combinam, dos rasgos que insistem em se abrir, do desbotamento e da costura que se desfaz, gostamos e aceitamos o que vemos sem a necessidade de buscar nossas caixinhas de costura; é quando nos habituamos ao conforto daquele desgaste, ao cheiro daquele bolorzinho, à visão daquela manchinha, e tudo isso não nos incomoda mais, ao contrário, traz alento. É quando enfim nos sentimos em casa e nos permitimos ser vistos por inteiro também.

QUEM AMA OFERECE CHAVES

Houve um tempo em minha vida que eu tinha um prazer surreal de me fixar em portas trancadas. Dava muito murro em ponta de faca, tentava calçar sapatos que não me serviam, e chorava escondido como a mocinha da letra do Paralamas que achava "final romântico morrer de amor".

Mas o tempo passa, a gente amadurece, e aprende a gostar do que tem qualidade.

Falo de qualidade de afetos, de trocas, de mercadoria também. É como aprender a se vestir bem. Só o tempo nos mostra o que cai melhor, aquilo que fica adequado ou não ao nosso corpo. Quando adolescentes, seguimos a moda à risca e arriscamos uma blusa decotada num corpo sem seios, sem estrutura. Ou uma calça *skinny* num quadril desproporcional só porque todo mundo usa. Com o tempo aprendemos que nem tudo nos cabe. Nos relacionamentos também.

E então aprendemos a dar valor ao que é nobre, ao que nos faz bem, àquilo que desperta nosso lado mais humano, gentil, generoso — aquele que temos orgulho de sustentar.

Não existe final romântico em "morrer de amor". Porque amor não mata, não destrói, não nos torna tristes ou piores — para nós mesmos.

Amor é quando você atravessa portas escancaradas, nunca meio abertas, nunca meio trancadas, meio na dúvida.

Quem ama oferece chaves, faz do relacionamento um templo.

Me lembro de um tempo em que ouvia "One" na voz do Bono Vox e me derretia quando ele cantava: *"You ask me to enter, but then you make me crawl"*.* Porque existem amores aflitivos, duvidosos assim, que nos fazem ter esperanças em migalhas, em pontinhos brilhantes no infinito — meras ilusões.

* "Você me pede para entrar, mas então me faz rastejar", em tradução livre.

É duro ouvir a frase "ele(a) não está a fim de você". E embora seja duro de admitir, nos liberta também. Nos autoriza a olhar para nós mesmos, para aquilo que nos cabe nessa vida.

Então abra sua janela e deixe o sol entrar. Que seja novo, acolhedor, de bom caimento, de bom tamanho — o seu número.

Que traga um anjo da guarda que te proteja das dores do coração.

O AMOR PEDE CLAREZA

Se há algo que me irrita de verdade é estar no trânsito justo atrás de um carro com a seta insistentemente ligada por engano. Você percebe que a pessoa não vai fazer a conversão para lugar nenhum (e, com sorte, ela não irá para o lado oposto), mas a bendita seta fica lá, piscando sem parar, por puro esquecimento do motorista desligado.

Setas nos carros são sinais. Sinais que aprendemos a usar para informar nossas intenções. Mais que isso, são uma forma de sermos entendidos, evitarmos acidentes e sermos generosos com as pessoas que dependem disso para transitarem em segurança.

Quando brincamos com os sinais — como o motorista que esquece a seta ligada — ou simplesmente ignoramos a necessidade de emiti-los, confundimos os outros, provocamos acidentes, irritamos pessoas atentas, nos tornamos arrogantes.

Similares ao motorista descuidado, encontramos pessoas mal sinalizadas por aí. E nos confundimos com esses seres que, por inconstância ou inércia, não definem suas reais intenções.

Já se tornou comum ouvir a frase: "Sou responsável pelo que eu digo, não pelo que você entende". O.k., a frase é ótima, mas não justifica infrações — no trânsito e na vida — do tipo: "eu-tava-com-a-seta-ligada-o-tempo-todo-só-você-não-viu". Estar com a seta funcionando vinte e quatro horas por dia também não informa absolutamente *nada*. E quando você diz que vai virar para o lado direito, é claro que acredito que uma hora, um dia, você certamente convergirá para a direita! Ou será que "consideração" anda *démodé*?

O mantra "O que você resiste, persiste" parece estar na moda. E por isso brincamos com os sinais, nos divertimos com a confusão que causamos e assumimos com orgulho o quão antagônicos somos no querer, no demonstrar, no sentir. Maltratar o coração alheio é a chave para mantê-lo pulsando — angustiado e confuso.

Tem gente sinalizando que se importa, quando na verdade não dá a mínima. Tem gente fingindo que esqueceu, quando no fundo ainda se interessa em excesso. Tem gente dizendo que ama, quando apenas se acomodou na rotina do amor. Tem amor transbordado fingindo indiferença.

O que se quer é um sinal vermelho quando o amor acaba ou verde intenso quando deseja ficar.

Para o bem ou para o mal, há que se ter clareza, definições, pingos nos is.

Que feche as portas sem ensaiar recaídas, que se defina com esperança ou sem ela.

Que possibilite novos rumos, voos livres... ou que prenda de uma vez.

FRANCAMENTE, CÁ ENTRE NÓS

"Que Deus me perdoe e minha mãe me entenda", digo às vezes para mim mesma, quando ando cansada de "grandes aglomerações".

Nunca entediada dos meus afetos, da turminha que me acompanha, mas desejando me fechar em minha casca, meu casulinho particular, onde teço meus pensamentos, amadureço meus sentimentos, jogo fora o que não merece ser reciclado.

Sou de natureza introspectiva e de vez em quando peço perdão por isso. Perdão porque muita gente não entende essa minha mania de ser só eu; eu e minhas caraminholas tão particulares.

Criamos o hábito de nos ferir. Nos acostumamos com aquilo que faz mal e perdemos tempo com o que não acrescenta.

Vivemos de aparências para que ninguém perceba o quão incomodados estamos. E por que não revelar que preferimos de outro jeito? Qual o problema de dizer "sim" para nossas necessidades de paz, solidão, escolhas? Por que essa mania de se desagradar para agradar?

Como diz os escritos: "Se não quiser adoecer, não viva de aparências. Quem esconde a realidade, finge, faz pose, quer sempre dar a impressão de estar bem, quer mostrar-se perfeito, bonzinho etc. Está acumulando toneladas de peso... uma estátua de bronze, mas com pés de barro. Nada pior para a saúde que viver de aparências e fachadas. São pessoas com muito verniz e pouca raiz. Seu destino é a farmácia, o hospital, a dor".

Então francamente, cá entre nós, vamos tirar esse peso dos ombros, da vida.

Você só deve satisfações a quem de fato importa. Aprenda a não expor suas dores e delícias de graça nem espere entendimento ou retribuição de onde não existem.

Seja leve, diminua as poses e agrade sua alma. Selecione seus afetos e não acumule dívidas com seu interior.

Esqueça algumas pessoas. Nem todo mundo merece destaque na sua vida, e manter todos por perto despende energia demais.

Não perca tempo tentando entender. Algumas coisas simplesmente não têm explicação.

Ore por aqueles que ama, entregue seus caminhos a Deus e espere que Ele tome conta. Você não tem controle sobre tudo.

E, acima de tudo, se vale algum conselho, cuide do que é seu.

O INESPERADO FOI UMA BÊNÇÃO

O Homúnculo de Penfield é uma ilustração usada para representar como nosso cérebro enxerga nosso corpo. Algumas partes têm representações maiores dentro do cérebro, enquanto outras ocupam um espaço pequeno, dada sua menor necessidade de sofisticação sensorial e motora.

Desse modo, descobriu-se que a imagem corporal é construída de acordo com as percepções, ideias e emoções sobre o corpo e suas experiências. Sendo assim, o fantasma de um membro amputado seria a reativação de um padrão perceptivo dado pelas forças emocionais. Como o ser humano está acostumado a ter um corpo por completo, o fantasma acaba sendo a expressão de uma dificuldade de adaptação a um defeito súbito. Além disso, como o Homúnculo de Penfield bem representa, temos um mapa sensorial em que a região amputada continua a ser representada no cérebro. Porém, como ainda não existe uma cura para o fascinante fenômeno das sensações fantasmas, muitos indivíduos precisam se adaptar a essa situação.

Assim também nos adaptamos a mudanças. Leva tempo até a mente entender que a vida mudou, que precisa se reajustar a uma nova rotina, a novos padrões de comportamento e reagir de forma diferente aos estímulos.

Às vezes nossa percepção falha. Nos apegamos ao que foi amputado e perdemos a noção do que é real.

Damos importância a coisas pequenas e valorizamos pobremente o que merece ser reverenciado.

Alguns acontecimentos e pessoas permanecem tendo representações gigantescas em nossas mentes, ainda que insignificantes em nossas vidas.

Acontece que o cérebro não se atualiza sozinho. Por mais que doa, é preciso que a fantasia dê lugar à realidade; à negação, à verdade.

É preciso acreditar que aquela dor já passou. Ter forças para mudar, para acatar as mudanças, perceber o mundo à sua volta com olhos de novidade, ter coragem de encarar o desconhecido.

Repetimos padrões, acostumados ao que denominamos "nossa história" — ao que acreditamos que ainda nos defina ou dê forma. Porque somos programados a permanecer naquilo que é conhecido: nossa vida, nossa rotina, nosso mundo, nosso passado...

Mas o que nos faz recomeçar é o inesperado. Sempre é.

E de vez em quando temos que nos submeter ao imprevisível, querendo ou não.

Aquilo que te pega de surpresa, num dia comum... a partir do qual tudo muda.

São novas chances, não apenas tormenta.

Novas possibilidades, não apenas provações.

E você sofre porque terá que reformular o desenho cerebral. O mapa tão conhecido que te conduziu até aqui.

É doloroso. Mas também bonito.

Você ainda não enxerga beleza, mas uma hora olhará para trás com entendimento e perceberá que foi capaz de se rearranjar novamente.

O inesperado foi uma bênção. Sempre é.

ATUALIZAÇÃO DE IDENTIDADE

Mônica Martelli foi entrevistada por Marília Gabriela e lá pelas tantas soltou uma expressão: "atualização de identidade". E disse que precisamos atualizar nossas identidades de vez em quando, pois as conservamos há tempos vencidas, quando quem fomos nem existe mais.

Gostei da expressão e a tomei para mim. Pois durante muito tempo andei por aí com a vida atualizada e a identidade vencida, alimentando novos sonhos com velhas inseguranças, seguindo em frente olhando para trás, correndo o risco de tropeçar em antigos paradigmas, ansiedades arcaicas, medos obsoletos; sem me olhar no espelho e perceber que mereço novo passaporte, alegrias inéditas, rumos exclusivos.

Alimentamos nostalgias como se o tempo bom fosse aquele que ficou lá atrás. Isso não pode funcionar. Nunca funciona.

Gosto muito da "Carta pra Maria das Graças" do escritor Paulo Mendes Campos, em que ele diz:

"Minha história é longa e triste!" – disse o ratinho. Ouvirás isso milhares de vezes. Como ouvirás a terrível variante: "Minha vida daria um romance". Ora, como todas as vidas dariam romances, pois um romance é só um jeito de ver uma ou várias vidas, fuja, polida mas energicamente, dos homens que suspiram e dizem: "Minha vida daria um romance!". São uns chatos, Maria da Graça, uns chatos longos e tristes. Os milagres sempre acontecem na vida de cada um e na vida de todos. Mas, ao contrário do que se pensa, os melhores e mais fundos milagres não acontecem de repente, mas devagar, muito devagar.

Precisamos parar de sofrer com dores que já expiraram, com traumas que não nos definem mais, referências ancestrais que há muito não fazem parte do nosso currículo.

Não dá para continuar acreditando naquilo que, de alguma forma, nos fizeram acreditar. Em rótulos estampados em nossa baixa autoestima que nos conduzem por caminhos de depreciação e amargura.

Fuja de gente que adora te chamar por antigos apelidos, aqueles pejorativos que você concordava em usar só para não desagradar a galera, só para se "enturmar". Você não é mais aquele que namorou fulana, a que partiu seu coração. Exija respeito dos "amigos" que adoram te lembrar de amores vencidos, casos perdidos, pessoas que passaram — passaram, não permaneceram.

Atualize sua identidade e não permita recaídas. Confie na pessoa atrás do espelho, na vida dentro de casa, no número que aparece na chamada do seu celular todos os dias ou, pelo menos, toda semana.

Se livre de contratos antigos, de parcerias que só existem em sua memória afetiva, de sentimentos que não lhe permitem evoluir.

A gente se acostuma com o personagem. E leva muito tempo investindo em máscaras que já não nos representam plenamente. Pra quê?

Por falta de assunto, a gente inventa que está gorda — para falar de dieta com as amigas; reclama da relação pra se sentir parte do grupo de insatisfeitos; ri junto com os amigos que insistem em te ver de forma estereotipada; coleciona justificativas, baseadas em traumas de infância, quando na verdade há pouca habilidade de lidar com o presente.

E pergunto: até quando?

Tem horas que é necessário estabelecer limites. Ser conhecedor de si mesmo e detentor de suas verdades. A vida segue, o tempo traz novos ares. Você muda — quem sabe para melhor — e vai continuar fingindo que ainda é aquele que se escondia do mundo?

Desconecte-se daquilo que não te traz alegria, renove seus votos com o presente e cultive seus canteiros com flores recém-colhidas, sem ervas daninhas...

Não supervalorize o passado, sua história, seus traumas, sua dor de cotovelo. Todo mundo tem feridas, todo mundo leva tombos, cada um sabe o que traz na bagagem. Tenha, sim, coragem de valorizar seus milagres, aquilo que é real e palpável, o terreno onde pisa, as mãos entrelaçadas às suas.

E acredite. Só assim é possível seguir em frente, com passaporte novo, com a identidade atualizada.

PIPA E CANDINHA

Em *Desculpe o transtorno*, Gregorio Duvivier deu nome e sobrenome aos seres que nos habitam. Tão presentes e contraditórios, mandões e passivos, escondidos ou escancarados, o ID e o superego foram representados pela dupla personalidade do personagem. Em um momento ele era o certinho Eduardo (superego) e no outro, o fanfarrão Duca (o ID).

Se fosse possível opinar, diria que morro de raiva da engomadinha que vive dentro de mim. Com mãos na cintura e pés impacientes, ela precisa urgentemente de um botox no centro das têmporas e tratamento fonoaudiológico para o tom de suas cordas vocais.

Durante muito tempo estremeci diante de seus botões hermeticamente fechados até o queixo e saia plissada abaixo do joelho. Feito garota interna, rigidamente educada por freiras, me comportei impecavelmente sem questionar seu domínio, muito menos ousando perguntar se aquela gola engomada não lhe causava claustrofobia. Claustrofóbica vivia eu, tentando ser livre com dona Cândida — asseada — dentro de mim.

Mas tenho descoberto que dona Cândida não é tão poderosa assim. Se a gente souber levar, acaba percebendo que seus botões afrouxam, sua saia sobe e suas rugas de expressão ficam quase imperceptíveis.

Dentro de mim também vive Pipa, um ser tão livre e leve que sobe pelos ares feito pluma de dente-de-leão soprada e conduzida pelo vento.

Pipa não conhece a tirania de dona Cândida. Ao contrário, a acha um doce e diz que quem exagera sou eu: "sua voz nem é tão grave assim". Pede para que eu alivie a diplomacia e a chame pelo apelido carinhoso: Candinha. Por desconhecer a sombra de dona Cândida, Pipa consegue sorrir mais, dormir sem pesadelos e desabrochar seu gozo sem medo de ser feliz.

Pipa não tenta me governar, quer que eu a descubra sozinha. E é verdade que, de vez em quando, ela vem à tona — tão descontraída em sua rasteirinha deslizando pelo chão e seu clássico vestidinho de chita —, e então não resisto e tomamos uma cervejinha juntas. Nessas horas, meu riso é mais leve; minhas frases mais confiáveis; meu sono mais profundo.

Pipa divide um beliche com Dona Asséptica. Mas a saia plissada da Dona Engomada cobre Pipa por inteiro, e por isso quase não ouço sua voz nem sinto sua presença. Mas, enquanto durmo profundamente, ela vem me falar aos ouvidos. É certo que nem sempre me lembro no dia seguinte, mas sei que ela me conhece mais do que eu mesma. Me diz que preciso me soltar, desabotoar a gola de dona Cândida e ensinar a ela seu lugar. Explicar que sua hora já passou. Foi bom, me orientou por algum tempo, mas agora preciso de mais Pipa e menos Candinha.

Devagarzinho tenho tentado mudar as duas de lugar. Colocar dona Cândida para dormir embaixo e Pipa em cima. Não é justo que meu governo seja assim tão rígido. Quero mais Pipa em minha vida, me ensinando a voar, a ouvir mais minha intuição, a correr mais riscos, a viajar com menos bagagem.

Quero aprender a ser conduzida por meus "nãos" também, pois o caminho da liberdade passa por restrições àquilo que não cabe em nossa nova etapa de vida. Que Pipa me ensine a liberdade dos vestidos florais e das tiaras no cabelo, o descompromisso com o que não é necessário nem imprescindível, a autonomia que quero e devo ter em minhas escolhas.

Que as regras de dona Cândida sejam ouvidas na sua medida, me colocando no meu devido lugar sem me roubar de mim. Que ela ganhe fala mansa e contornos suaves, e não franza as sobrancelhas quando eu quiser voar. Que me permita ouvir a voz de Pipa, tão melodiosa e difícil de acessar; que me ajude a encontrar meus desejos e neles me enroscar.

Dona Cândida já não parece tão felina. Era meu olhar que lhe conferia tanta tirania. Para falar bem a verdade, tem mesmo cara de Candinha, assim, miudinha e faceira, feito espoletinha.

A gente cresce e percebe que a casa não era tão grande assim, nós é que a enxergávamos enorme. Assim também percebemos que quem deu a medida para o medo, a angústia e a incapacidade de lidar com a própria liberdade fomos nós mesmos.

E, de repente, num dia qualquer, acordamos e percebemos que já podemos lidar com aquilo que julgávamos maior que nós mesmos. Não foram os abismos que diminuíram, mas nós que crescemos.

A VIDA ACONTECE PARA QUEM SE ARRISCA

Desde que comecei o blog, descobri que sou uma pessoa corajosa. Ao me oferecer ao leitor, quase nua, em letras que traduzem minha vida e meu espírito, rompo uma barreira de juízos e precauções, e arrisco viver sem receio de tropeçar e cair, quase acreditando que posso ser melhor do que imagino.

Habituamo-nos a nos esconder. Preferimos as condenações aos voos livres, e nos refugiamos numa vida segura e cheia de reservas. Nos reservamos o direito de calar, de pisar em terreno sólido e firme, de não correr riscos, de avançar dentro de um limite razoável. E esquecemos que o preço de tentar racionalizar tudo é viver pela metade, ignorando que a vida acontece e deve acontecer para quem simplesmente se deixa em paz.

Existe uma fábula que conta a história de uma galinha que vivia numa granja e se destacava entre todas as outras por seu espírito de aventura e ousadia. Não tinha limites e andava por onde queria. O dono, porém, estava aborrecido com ela. Suas atitudes estavam contagiando as outras, que a copiavam.

Um dia o dono fincou um bambu no meio do campo, e amarrou a galinha a ele com um barbante de dois metros. O mundo tão amplo que a ave conhecia ficou reduzido a exatamente onde o fio lhe permitia chegar. Ali, ciscando, comendo, dormindo, estabeleceu sua vida. De tanto andar nesse círculo, a grama dali foi desaparecendo. Era interessante ver delineado um círculo perfeito em volta dela. Do lado de fora, onde a galinha não conseguia alcançar, a grama verde; do lado de dentro, só terra.

Depois de um tempo, o dono se compadeceu da ave; pois ela, antes tão inquieta e audaciosa, era agora uma figura apática. Então a soltou.

Agora estava livre! Mas, estranhamente, a galinha não ultrapassava o círculo que ela própria havia feito. Só ciscava dentro do seu limite imaginário. Olhava para o lado de fora, mas não tinha coragem suficiente para se aventurar a ir até lá. E assim foi até o seu fim.

De vez em quando agimos feito a galinha. Preferimos ciscar em nossa zona de conforto a ousar novos contornos. Nos amedrontamos diante de novas possibilidades e construímos círculos fechados onde podemos nos refugiar em segurança. Inventamos desculpas que nos convencem de nossa pouca habilidade e capacidade de sermos melhores ou mesmo diferentes, simplesmente porque não sabemos lidar com a quebra da rotina ou com a exploração de novos terrenos.

É preciso uma boa dose de cara de pau ou coragem de nos expor, se quisermos existir de verdade. Quantas pessoas, preparadas e cheias de talento, deixam oportunidades passarem e sonhos serem arquivados simplesmente porque construíram círculos fechados em volta de si mesmas, com receio de expor quem realmente são, preferindo viver uma vida segura — e limitada — a viajar para novos espaços onde a grama é mais verde e o céu mais azul?

Que possamos nos deixar em paz. Que haja coragem de dar o primeiro passo, reconhecendo pouco a pouco que somos capazes de enfrentar os desafios sem medo dos tropeços que acontecem na vida de todos. Que possamos romper a barreira do medo e da falta de esperança, descobrindo que também carregamos bênçãos, dons que recebemos e poucas vezes temos a coragem de explorar. Que haja fé, esperança e otimismo, por uma vida de menos desculpas e mais realizações.

PÉROLAS

De uns tempos para cá, não sei se devido à passagem do tempo, tenho ouvido mais e mais comentários, matérias e debates sobre rejuvenescimento, plástica e beleza — não a natural a que todos temos direito, mas beleza fabricada, exigida, manipulada, conquistada (?) — e me pergunto onde foi parar a diversidade, o que fazia de cada um o protagonista de seu tipo físico, ou pelo menos mantinha em seu devido lugar o estilo pessoal e único de cada corpo, estrutura e rosto.

Se não admitimos as marcas daquilo que vivemos — alegrias no bigode chinês, o susto com o tombo do menino nas têmporas, a traição no meio da testa, tantas saudades nas bolsas debaixo dos olhos, uma coleção de bons acontecimentos no franzido acima do nariz, a derrota do timão no vinco entre as sobrancelhas —, como autorizar que a bossa, a naturalidade, o charme e o que é mais verdadeiro permaneça em nós? Se negamos o direito dos acontecimentos nos marcarem, como permitiremos que nosso sorriso, ou mais ainda, nosso olhar, carregue aquilo que um dia fomos?

Se pudesse dar apenas um palpite, levando em conta a geografia singular que, feliz ou infelizmente, herdamos de nossos pais, e sem querer modificar aquilo que torna cada um protagonista de seu próprio tipo físico, recomendaria um investimento simples, acessível, de baixo custo e principalmente infalível. Use fio dental, invista numa boa escova de dentes de cabeça pequena e abuse do trio: creme dental, escova e fio dental.

Os benefícios a longo prazo vão além de um sorriso "Bond". Mas, acredite, isso também será importante no futuro, quando o tempo invariavelmente levar embora o viço, a firmeza e o frescor da juventude.

Seja gentil com suas gengivas. Elas são o alicerce dessas pecinhas brancas que dão estrutura à face, sustentam a maxila e melhoram o contorno do rosto.

Apenas por um tempo esqueça a moda dos *peelings*, das esfoliações, dos *liftings* e do botox. Desfrute de sua própria natureza, reveja fotos em que aparece sorrindo e não reclame do orçamento no dentista. Entenda que essas pérolas precisam de manutenção, e podem ser mais eficazes na beleza e no rejuvenescimento que qualquer preenchimento de lábios que porventura cogite fazer.

Tome café, beba um cálice de vinho no jantar, não recuse o brigadeiro do aniversário do sobrinho — o que seria a vida sem esses agrados? —, mas se habitue a valorizar o brilho dos seus incisivos, a sustentação óssea que uma arcada completa proporciona, a juventude permanente da alegria sem disfarces.

Desaprendemos a investir naquilo que é seguro e eterno. De tanto buscar fórmulas que prometem trazer de volta o frescor de ontem, nos esquecemos do presente que temos bem ao alcance das próprias mãos, e preferimos cortar, esfoliar e retalhar que simplesmente escovar.

Talvez você amadureça com saúde, talvez não. Mas confie em mim: cuide de seus dentes. Eles são a fachada do rosto, os alicerces da face, os recepcionistas de sua saúde como um todo. E dizem muito mais sobre você do que poderia supor.

Não se ressinta da falta de sorte se as perdas ocorreram precocemente. Busque soluções, alternativas viáveis ao seu bolso, economize e aprenda: cuidar dos dentes não é luxo nem superficialidade; é, antes de tudo, saúde e cuidado.

Ao trabalhar como dentista num posto de saúde da prefeitura de Campinas há mais de vinte anos, me deparo diariamente com pacientes dispostos a extrair os dentes em vez de tratá-los. É frustrante perceber que nosso povo ainda não aprendeu a valorizar uma boca saudável, íntegra (ainda que com obturações), sem falhas. Muitos pacientes permanecem apelando para a fórmula mágica e mutilante: extrair tudo e colocar a famosa "chapa". Devagar esclareço, tento convencê-los, mas algumas vezes me dou por vencida. Infelizmente "nosso povo carece de saúde", como disse Everaldo, nosso orador, na formatura da turma de 1995. Carecia naquela época, carece hoje. Carece de saúde física e psíquica. Carece de cultura, informação e apoio.

Enquanto a marca de celular, tênis ou camisa polo for mais importante que cuidar dos dentes, nossa população continuará envelhecendo sem saúde. Continuará envelhecendo acreditando que ter a pele esticada, preenchida, costurada e flagelada por procedimentos estéticos é mais importante que ter músculos faciais amparados por uma estrutura de dentes íntegros e gengivas saudáveis.

Façamos um trato. O de aceitar a passagem do tempo como algo natural, e não aquilo que devemos combater. Que possamos envelhecer com saúde, ainda que essa seja uma experiência dura, que denuncia uma diminuição da velocidade e um aumento de memórias e saudades. Temos saudade da imagem refletida no espelho, e esquecemos que ainda estamos lá.

Talvez o olhar seja o mesmo. Talvez, e com sorte, os dentes também.

Então preserve sua geografia, cuide das pérolas que encontrar. Reponha as peças faltantes e sorria. Não perca tempo com comparações, mas busque força na alegria.

Nunca será tarde demais para começar.

A vida começa quando você se cuida.

TODOS TÊM SUA DANÇA PARA DANÇAR

Outro dia, tentando a sorte numa dessas maquininhas de brindes que arrecadam fundos e decoram padarias, bancas de revistas e lanchonetes, meu menino torcia que viesse a bolinha do Pikachu, figurinha simpática e dificílima de encontrar, mesmo que a gente arrisque o porta-níquel inteiro. Duas moedas de um real depois, saímos da lanchonete com dois brinquedinhos comuns e uma cabecinha baixa, carregada de frustração.

Horas depois, encontramos meu sobrinho de três anos, saltitante com seu brinquedo mais recente: um Pikachu novinho em folha, amarelo reluzente, que acabara de conseguir logo na primeira tentativa, na mesma máquina de brindes que meu filho tentara em vão.

Nossos olhares se encontraram. E, num silêncio carregado de palavras, ele desejou mais de um milhão de moedas para tentar a sorte novamente e eu, ardendo de vontade de abrir a carteira e entregar todo o saque da semana, talvez do mês, segurei a onda e simplesmente disse "não". Ressoou feito o eco de um bumbo dentro de mim.

Nessa hora entendi que a pessoa mais frustrada ali era eu. Eu e meu desejo de esvaziar a máquina de bonequinhos até encontrar o bendito Pikachu. Eu e minha agonia de deixar o filhote com os olhinhos marejados, eu e minhas faltas, eu e a garotinha de maria-chiquinha que vive no meu peito.

Enquanto andávamos em direção ao carro, outra história começou: "Mas, mamãe, não é justo. Eu é que faço coleção desses bichinhos; ele nem liga pra isso e conseguiu. Ele nem sabe o valor do Pikachu...".

Me vi no discurso inconformado do menino ao meu lado. Porque no fundo, no fundo, o que ele estava sentindo — e eu também — era inveja. Uma inveja normal, comum e muito humana. E uma constatação de que a vida é mesmo injusta e não poupa ninguém, ponto-final. Parece muito para uma historinha tão pequena, mas se a gente permitir, sem a tentação de querer camuflar a realidade, quanto aprendizado é possível arrancar numa brincadeira de criança!

A gente começa a se conhecer de verdade quando tem filhos. E muitas pessoas mostram como realmente são quando se tornam pais e mães.

Porque há muita confusão por aí. E pode surgir o desejo inconfessável de dançar nossa dança na hora errada, atrapalhando a que nossos filhos têm para dançar quando chega a hora deles.

Todos têm sua parcela de alegria, frustração, dor, surpresa, descontentamento, tristeza ou sucesso. E não dá para misturar as estações e querer recompensar a garotinha de pijama de ursinhos ou o guri de calças curtas que vive dentro de nós, por meio de nossos filhos.

Queremos protegê-los, mas estamos protegendo quem? Desejamos recompensá-los — a quem realmente? Somos autoritários, exigentes, tiranos... com quem? Sonhamos com a carreira profissional, a festa de quinze anos, o casamento... oi?

Como meu menino veio a saber, a vida é boa, mas também frágil. E por mais que eu queira protegê-lo dessa fragilidade, ele vai descobrir, mais cedo ou mais tarde, que alguns passos dessa dança são só dele — e de mais ninguém.

Se poupamos nossos filhos daquilo que é inerente à vida — inadequação, frustração, arrependimento, tristeza —, como encontrarão, eles mesmos, recursos para dançarem até o fim? E, principalmente, como enxergarão em nós e em todos os outros essa fragilidade que compõe tudo de que é feita a vida?

Como conseguirão perceber que na vida todos têm sua parcela de reviravoltas, arabescos, *pliés*, *développés*... ou o que quer que sejam esses movimentos? Movimentos que nos abraçam, embalam e também desafiam.

Todos têm sua dança para dançar. E por mais tentador que seja querer dançá-la com um par, ou vários, essa dança é só nossa. A capacidade de se conduzir e se virar conforme a música é adquirida com o passar do tempo, entendendo que nem todos os passos são possíveis, pois a vida, ainda que seja nossa maior aventura, é limitada.

Aceitar os limites e acatar as perdas, dores, turbulências e desistências com generosidade é avançar nessa coreografia cheia de erros e acertos, surpresas, desejos, alegrias e tropeços que compõem a existência.

O CÓRREGO DA VIDA PRECISA DE SAL

Esta tarde, caminhando pela praia, me lembrei de uma conversa logo cedo com meu filho. Pela terceira vez esta semana, ele me contou que havia sonhado com "sua namorada". Perguntei se andava pensando muito nela e a resposta imediata, do alto dos seus sete anos, foi: "O tempo todo, mamãe...".

Sem saber, essa garotinha de sorte está aqui, em nossas férias, perto do mar, entre as dunas, na areia que escorre por seus dedinhos arredondados, na risada barulhenta, nos desenhos que a água apaga. Está presente de um jeito doce, terno, verdadeiro. Pode ser que um dia seus caminhos se encontrem verdadeiramente... ou não. Pode ser que ela nunca saiba que existiu nele.

Você já se perguntou de que forma existe por aí? De que forma é lembrado, rebobinado, editado e reprisado?

Existimos no amor que damos, na saudade que deixamos, na falta que fazemos, nos sonhos que povoamos, no desejo que despertamos, na raiva que provocamos, na preocupação que causamos, no mistério que não revelamos, na alegria que irradiamos. Existimos naqueles que amamos, nas relações — entre amantes, pais e filhos, amigos — que estabelecemos; e, como poderíamos saber?, onde nunca imaginamos.

Porque nem tudo o tempo consente que a gente viva. Nem todos os caminhos se cruzam ou consolidam. Nem tudo nos cabe. Algumas coisas não exigem resposta, nem troca, nem conhecimento ou correspondência de parte alguma. Elas simplesmente caminham conosco, nos fazem companhia e povoam nossos sonhos. É a vida que não "deu as mãos, mas vai dentro da gente", na linda melodia do Skank.

Existir em alguém é ser lembrado num dia difícil ou demasiadamente feliz; é ser recordado com ternura e por um segundo ser o ideal de perfeição daquilo que sempre se almejou; é ser gostado gratuitamente, sem exigência de reciprocidade ou retorno; aceito nas imperfeições e manias, sem cobranças ou condições. É ser prece no meio da noite, nome escrito na areia, caligrafia primária envolta em corações coloridos, canção que leva às lagrimas e alguma saudade — do que foi vivido ou nunca aconteceu.

Infelizmente, existe o outro lado da moeda, quando a lembrança de um nome ou rosto evoca sensações desagradáveis, sentimentos soterrados, recordações funestas. Porém, aquilo que não o machucou nem subtraiu ou dividiu é parte de você também. Não faz mal lembrar. Deixar viver aí dentro. Imaginando se você existe por lá também, de um jeito bom, quem sabe preenchendo lacunas ou fazendo o quebra-cabeça ter algum sentido.

A gente precisa de poesia dentro da gente. De alma perfumada e riso de criança. Às vezes o córrego da vida precisa de sal, de algo que nos desperte por dentro. Sinta-se recompensado se conseguir sentir. Se, de alguma forma, for tocado. Se perceber uma parte de você acordando (paradoxalmente, nem que seja dormindo...) como a garotinha dos sonhos de meu menino. Tanto chão pela frente, tanta alegria e desilusão a serem vividas no decorrer dos anos... mas, ainda assim, ela permanece dentro dele. Como melodia de dias felizes, tempero de momentos vazios, açúcar de horas amargas, perfume de noites futuras...

PAPÉIS AMASSADOS

Estou lendo *O irmão alemão*, livro de Chico Buarque que mistura realidade e ficção numa obra em que relata a busca pelo paradeiro de Sergio Ernst, o irmão que só viria saber da existência aos vinte e dois anos, numa conversa trivial com Manuel Bandeira, em 1967.

Chico nunca chegou a conhecer tal irmão, mas isso não diminuiu a inquietação e o desejo de reencontrar aquele que, por meio da ausência, existiu permanentemente presente dentro dele e de seu pai.

Em uma das passagens do livro, o autor revela: "pois ainda que meu pai aprenda todas as línguas e devore todas as bibliotecas do mundo, talvez seja incapaz de concluir a grande obra da sua vida enquanto não suprir essa pequena ignorância dentro dele...".

E entendemos que algumas falhas, ignorâncias e ausências ecoam mais alto que o que é resolvido e escancarado.

Alguns acontecimentos podem sobreviver feito bolas de papel amassadas, guardadas num canto de nós mesmos. Resistem ao tempo, às profundidades, às perdas e aos recomeços. Continuam ali, esperando serem abertas e desamassadas feito folha de jornal que guarda a manchete bem no centro.

Quando Sergio Buarque de Holanda, pai de Chico, desejou manter esse segredo, certamente anulou uma parte de si mesmo, transformando a existência desse filho, concebido antes de seu casamento, em uma grande bola de papel amassada.

Chico dedica seu livro "Para Sergios". E eu dedico esse texto àqueles que já se sentiram um pouco como Sergio-pai. Para aqueles que não souberam o que fazer com o amor que poderiam ter dado e recebido, com as lembranças que poderiam ter sido construídas, com a vida que poderiam ter vivido e anularam dentro de si.

De quantos papéis amassados foram feitas as ausências e as despedidas, as reservas e os avessos da vida que não se viveu?

Quando você disse que não tinha nada mais a declarar, fiquei confusa ao perceber que seu semblante revelava aquela conhecida contradição interior. E constatei que você voltava novamente para aquele lugar, para a biblioteca que construiu feito muros a blindá-lo.

Uma parte de mim se entristeceu ao perceber que já não podia mais ajudá-lo. Eu bem que quis. Tentei pegar aquela bola de papel que você tanto comprime dentro do peito e desamassar devagarinho, com cuidado para não o machucar demais. Mas você não deixou.

Você cuida de suas feridas da mesma forma que zela por seu bem-estar. Vela por elas dia e noite para que nunca ventilem. Descobriu que pode criar espaços para a dor também, e é nesse espaço que nunca deixa ninguém chegar.

Mas ninguém pode atravessar os caminhos que são seus no seu lugar. Algumas rotas são só nossas, e as chaves que abrem nossos recintos, também. Cabe a cada um dar sentido às suas bolas de papel amassado.

Lidar com aquilo que recusamos por tanto tempo pode ser assustador. Requer a coragem de se conhecer profundamente, e isso pode ser doloroso também. Ao final, contudo, conseguiremos não somente ter tomado consciência de quem somos de verdade, mas ter enfim nossas folhas de papel passadas a limpo.

EPÍLOGO

Gosto de desfechos. Da conclusão de um livro, do final de um filme, do destino das personagens de uma novela.

Ao contrário do prólogo, o epílogo é mais rápido, transformador, libertador. São feitas as revelações, decifrados os mistérios, concluídos os caminhos, perdoados os espinhos.

Infelizmente nos acostumamos com finais felizes. Com tudo em seu devido lugar, do jeito que deve ser. E daí que olhamos para nossa vida e perdemos a noção da realidade.

Crescer. Ninguém disse que seria fácil. Optar por um caminho em detrimento de outros. Definir nossas escolhas, deixar aquilo que não virou opção. Renunciar, dar fim a um tempo que se esgotou. Nunca é fácil, mas pode ser simples se você aprender a perder. A entender que finais felizes — *cem por cento* felizes — não existem, e isso de você achar que sua vida não está boa agora, acontece com todo mundo, e é assim mesmo, o.k.?

Então, primeiro se acalme. Perdoe-se pelas escolhas que fez. Ninguém sabe ao certo (ao certo mesmo) que estrada seguir, mas a gente opta e torce para que dê certo. Daí se contenta com o que deu. Pois o que deu — seja bom, ruim ou mais ou menos — é o que há. E aí sim você tem que aprender a aceitar. Paciência... como diria sua mãe, não é?

Segundo: sabe aquele livro romântico que você adorou? Olha, confie em mim, ele não ajudou em nada. Aliás, ele tem te atrapalhado muito ao longo do tempo. Porque você aprendeu a acreditar num tipo de amor meio esquisito, num amor que tem um desfecho atrapalhado porque o faz acreditar em idas e vindas, joelhos dobrados debaixo da janela, buquê de flores com pedido de perdão, arrependimento e revisão de vidas... e sabe, isso não acontece. O que acontece é você perceber que é capaz de amar, e isso já é tão bonito, tão divino, que você não precisa ficar sonhando de olhos abertos, você só precisa... AMAR.

Terceiro: na vida real não são só os vilões que perdem. Pessoas do bem e de boa índole perdem o tempo todo, e é assim que crescem, evoluem, amadurecem.

Quarto: os finais acontecem a todo momento; estão acontecendo agora, dentro de você. Então não espere fogos de artifício, viradas de página ou um "THE END" em letras garrafais na sua frente. Não aguarde o momento de rejeitar quem te rejeitou; de perdoar quem te magoou; não espere passar o Natal, Dia dos Pais ou aniversário de casamento para dizer que ama, para dizer que não quer mais, para esquecer a vingancinha, para definir o que quer que seja. Só é preciso uma pessoa para finalizar qualquer capítulo: você mesmo. Então não adie sua vida e peça a Deus que cure as mágoas — pois essa é a parte mais difícil.

E, por fim, acredite: os finais nunca são eternamente felizes como na TV. São felizes na medida do possível, do jeito que podem ser. E quando a gente entende que perder — qualquer coisa — liberta, a gente relaxa. E percebe que ter responsabilidade não é tão difícil assim, pois quem costura as histórias e arremata o ponto-final é você.

AGRADECIMENTOS

Agradeço a Deus, que permite os invernos e tempestades, e sempre nos ajuda a atravessá-los;

Ao meu filho Bernardo, inspiração para várias histórias contidas neste livro;

Ao meu marido Luiz, que, através de observações gentis e precisas, me apoia incondicionalmente;

Aos meus pais, Jarbas e Claudete. Vocês plantaram em mim a semente da curiosidade e criatividade, o gosto pelos livros, a possibilidade de existir através da palavra. Obrigada pelo amor, apoio e incentivo.

Aos meus irmãos, Júnior e Léo – o entusiasmo de vocês pelas minhas conquistas supera tudo, muito obrigada!

À minha avó Leopoldina.

Aos meus tios, tias, primos, primas e cunhadas.

Ao meu sogro Antonio.

À minha psicóloga Martha, que numa das sessões de terapia me fez a pergunta que mudaria tudo: "O que você mais gosta de fazer?".

Aos meus amigos.

Aos parceiros do blog.

Aos meus leitores e seguidores.

Aos editores Pedro Almeida e Carla Sacrato, vocês são incríveis e generosos!

A toda equipe da Faro Editorial, que tornou meu sonho possível. Obrigada por acreditarem em mim, e por me acolherem como uma grande família!

TAMBÉM DA AUTORA:

CAMPANHA

Há um grande número de pessoas vivendo com HIV e hepatites virais que não se trata. Gratuito e sigiloso, fazer o teste de HIV e hepatite é mais rápido do que ler um livro.

FAÇA O TESTE. NÃO FIQUE NA DÚVIDA!

ESTA OBRA FOI IMPRESSA EM DEZEMBRO DE 2021